JN013695

はじめに――遊びから、楽しさへ向かう未来を始めてみる

僕は、東京の最西端にある奥多摩という地域と出会い、移住して人生が変わった。高齢化・過疎化が進み、限界集落や消滅可能性都市と呼ばれる、この地域と出会ってだ。ここには〝何もない〟という人がいる。でも僕には〝可能性しかない〟と思える。世界の価値観が急激に変化し、いかに生きていくかを誰もが考えざるを得ない今。都心とは価値基準が異なる地域にこそ、未来を生き抜くヒントがあるんじゃないか。

これからは、自分のつくった地域の中で、「仕事／ワーク」と「暮らし／ライフ」、そして「遊び／プレイ」を調和させながら生きていくこと――ワーク・ライフ・プレイミックスが大切になると思っている。

ヒントになったのは奥多摩の子どもたちだ。

ある夏祭りの場で、子どもたちがお店屋さんをしていた。大人たちが用意した子ども用

のおもちゃを、別の子どもに売るお店だ。でも子どもたちは途中で飽きてしまい、次第に遊び始めてしまった。しばらくして帰ってきた子どもたちが大事そうに握り締めていたものに目をやると、小さな手には「セミの抜け殻」が包まれていた。

その中に、僕が学生時代からとてもお世話になっている「おくたま海沢(うなざわ)ふれあい農園」の堀隆雄(ほりたかお)さんの子どもである〝たけちゃん〟がいたから、「試しにそれ売ってみれば?」と声をかけた。「ああ! そうだねぇ! 売ってみる!」と元気に答えてくれた。

たけちゃんたちはその勢いのままに、虫かごをディスプレイケースにしてセミの抜け殻を丁寧(ていねい)に並べて、紙の切れ端にマジックで値段を書いた。価格は30円から100円程度だった。

「すごいな。本当にお店始めちゃったよ!」と感心していたら、1人の男の子がおもちゃを目当てにたけちゃんたちのお店の前にやってきた。小さな手には大事そうにお小遣いが握り締められている。

ひとしきりお店に並べられている商品を眺めたところに、たけちゃんが「これ僕が獲ってきたんだ! 形がきれいでしょ?」と自分が獲ってきたセミの抜け殻を熱っぽくセールスし始めた。すると男の子は、セミの抜け殻が入っている虫かごケースを静かに目にして、

「これ、欲しい」と小さな声でたけちゃんに伝えた。「ありがとう。30円ね」男の子の手から、たけちゃんにお金が手渡された。男の子もたけちゃんもとっても嬉しそうだ。

それを眺めていた男の子のママは「セミの抜け殻買ったの!?」と驚いていたが、男の子にとっては今欲しいと気づいたのがセミの抜け殻で、たけちゃんが熱っぽく接客したからこそ買ったんだろう。その様子を目にしていた他の子たちも、おもちゃではなくセミの抜け殻の前に並び始めた。「行列ができるセミの抜け殻屋さん」の誕生の瞬間だった。

たけちゃんだけでなく、子どもたちにとっては、仕事も暮らしも遊びも切り分けられていない。全部どの瞬間を切り取っても自分の時間だ。その瞬間に立ち会ってみて気づいたのは「あれ？　これがみんなの理想なんじゃない？」ということ。自分という存在を安心して表現できる環境があって、仕事と暮らしと遊びがひとつなぎにあえられている状態。

子どもたちは知らない間に自分の地域をつくりあげ、ワーク・ライフ・プレイミックスで生きている。そんなあり方をもっと広めていくことができないだろうか。そのためにも僕は、奥多摩の林業に関わる立場から、森や自然の素材を通して遊びをつくりだせることを、幼少期の頃の原体験として持てるようにしたい。

本質的に人には、「遊びたい」「人生を楽しみたい」という思いがある。遊びをもっと大事にしていく生き方ができる場所を、自分の地域をつくることで成り立たせていく。豊かさよりも楽しさを中心とした世の中に変えていく。

僕自身も奥多摩で過ごすなかで、子どもの頃に実家がある神奈川県の小田原で大好きな釣りをしていたことを思い出した。〝大切な遊び心〟を取り戻したことで、自分を構成する要素がすべて揃った。今の僕にとっては、奥多摩も小田原も欠かせない地域だ。そこで仕事を生み出し、子どもを育て、思い切り遊びを楽しんでいる。

だからこそ、自分の好きな地域を故郷（ふるさと）にするような感覚で、「自分の地域をつくる」ことから始める生き方を伝えていきたい。この本が、地域で新たな日常をつくっていこうとする人たちの「入口」になることを願って。

もくじ

第4章

東京の森を子どもたちに届けたい

第5章 地域に暮らし、生きる

第6章 遊びの未来をつくるために

＊本書のCHECK POINTに掲載している情報は、２０２０年11月現在のものです。

自分の地域をつくるために

奥多摩って、こんな場所

自分の地域をつくるためには、
まずその場所を知ることから始めないといけない。
僕が働き、暮らし、遊ぶ町、
奥多摩がどんな場所なのかを伝えたい。

奥多摩は、どこにある？

東京都は、東京 23 区・多摩地域・島嶼部（伊豆諸島・小笠原諸島）に大きく分けられる。

多摩地域は 26 市 3 町 1 村で構成され、多摩北部には清瀬市・小平市・三鷹市・府中市・立川市などが、多摩南部には多摩市・町田市・日野市・八王子市などがある。

奥多摩町は、瑞穂町・日の出町・檜原村とともに西多摩郡を構成していて、東京最西端にある町。人口は約 5000 人（2020 年11月現在）で、JR 青梅線の終着駅も奥多摩駅になっている。

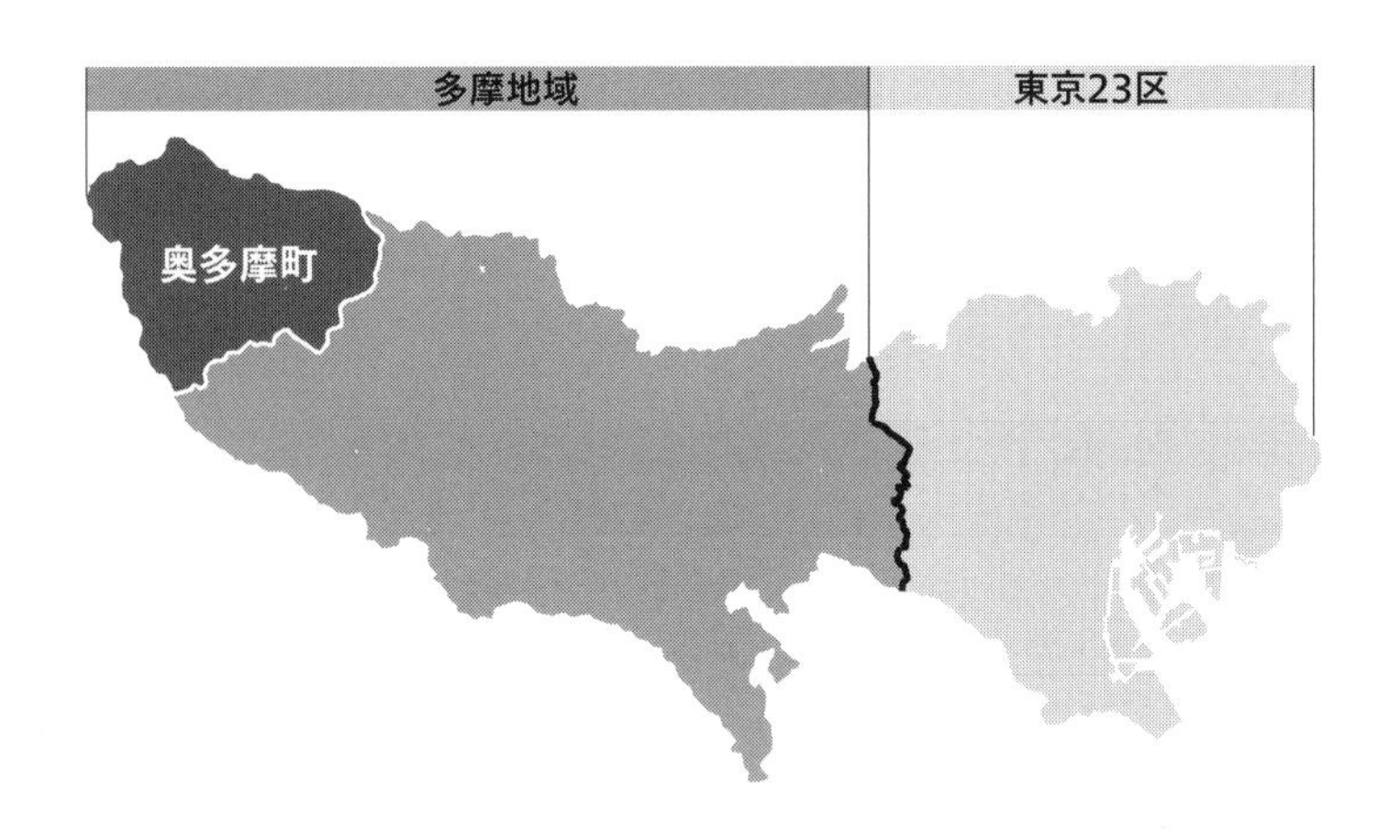

奥多摩の森林と林業

町の面積の94%が森林である奥多摩町は、森林の大半を占めるスギ・ヒノキに囲まれた町。林業は徳川家康の江戸入府によるまちづくりが行われた頃から歴史があり、再三の江戸大火の建築資材として、筏(いかだ)を組んで多摩川を利用して木材を供給した。

戦後は焼け野原になった東京を復興するために、建築の足場丸太を供給する林産地として栄えた。現在は多摩産材として木材が都内の公共建築などで利用されるほか、森林空間を生かした森林セラピーなどで都心の人々を癒(いや)している。

営業部長として勤務している、東京・森と市庭の社有林。左手の暗い森と、右手の明るい森との対比が鮮明で、木育活動に活用している

奥多摩の名産品と伝統

奥多摩は、わさびの生産量が全国で第３位だったときもあったぐらいの名産地。わさびが育つには大前提として、水が綺麗で、山に栄養が行き渡っていないといけない。山とつながりの深い作物だ。

そのわさび田も衰退して、なくなってきてはいるけど、開墾体験を通じて、わさび田を復活させようとしている人たちも出てきた。これは名産品を、遊びを通じてよみがえらせようということ。

伝統芸能としては、集落ごとに獅子舞がある。観光で来た人を踊り手として迎え入れてくれる集落もあるから、見るだけじゃなく参加もできる。

わさび田は、奥多摩の渓流沿いに広がっている

奥多摩の遊び方

まずは登山、それからリバーアクティビティ。カヌー、ラフティング（急流下り）、シャワークライミング（沢登り）、キャニオニング（沢下り）。そして渓流(けいりゅう)釣り。白丸湖(しろまるこ)では、サーフボードに立ってパドルで水面を漕いで進むSUP(サップ)も楽しめる。

ただ川に入るだけでも楽しいし、何より水が綺麗(きれい)。東京にもこんなに透き通った水があるんだっていうことを、まだまだ知らない人がたくさんいると思う。

キャンプ場やバーベキューなど、自然の中で過ごせる遊びもたくさんある。

白丸湖でSUPを楽しむ僕。人造のダムでもあるこの湖は、アクティビティに絶好の場所だ

奥多摩への誘い

　奥多摩は、観光地としての楽しさももちろんあるけど、何度も訪れることによって楽しさを増していく場所。町の中にいる人もこの町のことが大好きで、この町で暮らすライフスタイルを、楽しみ尽くしている。

　それを少し覗(のぞ)かせてもらうのが観光客で、だから何度も来れば来るほど、その地域に暮らしているような感覚で観光ができて、遂(つい)には僕のように移り住んでしまう人が現れる。

　１人ひとりが冒険者になったつもりで、奥多摩に来ていろんなものを見て、触れて、心を震わせてほしい。原体験を求めに奥多摩へ来てほしい。

僕と奥多摩の日常① 春

朝起きて、珈琲を入れて一息つく。
日差しが暖かい午前中に、山里にお散歩に出かける。

お昼ご飯は普段は家で食べるけど、今日は都心から友人が来るので、カフェ山鳩でハヤシライスとそばサラダのランチ。妻は自宅にママ友を呼んでいるみたい。
ご飯を食べているときは、お店の人が代わる代わる食事が終わるまで、子どもを抱っこしてくれている。ご飯を食べ終わったら家に戻って、子どもを寝かしつけて、妻に託す。晩ご飯を釣るために、目の前の渓流へ。

僕が5歳頃から始めた釣りが、今でも大好き。今日出かけるのは、家の目の前を流れる日原川。ここは多摩川の支流で、奥まで行くと東京でありながら、手つかずの天然林地帯が広がる。奥には、奥多摩の観光地である日原鍾乳洞もある。

大好きなルアーを選んで、人間としての気配を消し、呼吸を薄くしながら、透明な沢の流れ込みをめがけて正確に投げ込む。すると岩の陰から渓流魚が姿を現し、ルアーに喰いついた。心地よい竿のしなりを楽しみながら、引き寄せてくると、美しいパーマーク（魚の体表にある紋様）。天然のヤマメだ。

渓流の女王と言われる魚のとおり、美しい渓流にしか住めない。天然林がある澄んだ渓流で育った渓流魚は、とっても美しくておいしい。川魚特有の臭みもない。今日の晩ご飯を釣り上げて少し一安心。

もう少しやってから帰ろう。

第1章

奥多摩で起業することにしました

［本当の自分でいられる地域を選ぶ］

スタート地点は、神奈川県小田原市

僕がそもそも、自然や環境に興味を抱くようになったきっかけは、小学校低学年の頃にまで遡る。都心の横浜市に生まれて、急な喘息を患った僕は、入退院を繰り返すようになり、医者から「長くは生きられないかもしれない」と言われたこともあった。

そこで転地療養のように、実家を小田原市に移して新しい生活を始めると、ぴたりと喘息が止まった。近くの里山では木々に触れ、虫や魚を捕ることもできる。小田原の豊かな自然が体を楽にしてくれて、環境の変化が人に与える影響を、身をもって体験した。

小学生のときに、初めてルアーでブラックバスを釣った

高校生になり大学進学を控えて、何を学ぼうかと考えたときに、頭に浮かんできたのは、森

や環境問題について考えること。社会政策だったり、経営の考え方だったり、文系のアプローチから環境問題を解決する。そのために法政大学の人間環境学部を選んで、現場で理論を実践するために〈水と緑フォーラム・HOSEI〉というサークルに入った。

このサークルが奥多摩を拠点として、現地でヒアリングをするフィールドワークを行っていたことが、僕が地域と関わる第一歩になった。

奥多摩の古老の叫び「この町は死んでるよ！」

奥多摩を訪ねたときに、心に刺さった一言がある。

そのときは、たまたま他のメンバーがヒアリングに参加できず、僕だけで奥多摩に行き、町の古老ともいえる世代の人たちから、昔の山の暮らしについて話を聞くことになった。年輩の方々に囲まれながら地域の話を聞くなんて経験は初めてで、皆さんはお酒をたしなみ、僕自身も楽しんで耳を傾けていると、突然1人の方が叫ぶように口にした。

「この町は死んでるよ！」

そして僕に向かって、荒々しく言葉を投げかけてきた。

大学のサークル仲間と、奥多摩の空と山をバックに

「君にこの町を変えられるのか!?」
奥多摩を知ったばかりで、大学1年生の僕に、返せる言葉はない。同席していた人たちがその方をなだめたことで、席はお開きになって、事もなく収まった。

奥多摩の状況を何も知らず、課題を解決するためのノウハウももたない学生につっかかるのは、お門違いでむちゃくちゃだよ――。そう思いながら、ずっと引っかかるものがあった。林業が衰退して、人口が減り、賑やかな頃の奥多摩を知る人からすれば、ずいぶんと町が寂しくなってしまったという印象があるんじゃないか。

課題に対していきなり解決策を求められて、「言われたからにはやってやろう」という気持ちが湧いてきた一方で、今の自分には何もできないという思いもあった。それから4年間、小田原にある実家から電車で片道3時間半かけて、奥多摩に通い詰めた。多いときは月に5回や6回、サークルの誰が一緒に行くとか関係なく、地域の人から声をかけられたら必ず行く。

もともと僕は、じっと座っていることが苦手なタイプだった。講義よりも、行動を通じて感じた疑問を先生に直接ぶつけて、自然環境だけじゃなく民俗学の知識も吸収していった。通い詰めることで奥多摩の人脈も広がり、キーマンとなる人とつながれるようになっていく。大学生だからこそできることがあって、利害関係がないからこそ教えてくれることもある。

地域の人たちと出会い、話を聞き続けることで、「持続可能な社会の理想は奥多摩にあるのかもしれない」と感じられるようになっていった。

学んできたことを、仕事にしよう

僕が就活をした2009年頃は、リーマンショックがあった翌年で、新卒採用も冷え込んでいたし、この先、経済はどうなっていくんだろうという不安や、方向性を誰も見いだせていないような雰囲気が、社会に溢れていた。社会情勢がそうだったから、というわけじゃ全くないけど、内定は取れたものの、やっぱり自分で何かをやりたいという気持ちが強くなっていた。それは、せっかく大学で4年間学んできたのに、卒業して社会に出るとその学びがリセットされるのはどうしてなんだ、という疑問があったから。

僕は大学が大好きで、すごくお世話になった先生もたくさんいるし、人間環境という分野に関心をもって、最初から最後まで充実した学校生活を送ることができた。でも就活になると、そこで学んできたことは重要じゃない、みたいな空気がある。やっぱり学んできたことをきちんと仕事に発展させて生かしていくのが、本当に重要なんじゃないかと思えてきた。

それに、学生の立場で奥多摩という地域に関わってきて、卒業と同時に「ありがとうございました」と別れるのも、無責任じゃないか。奥多摩は、関われば関わるほど課題だらけの町だということが分かったし、誰かが何かをしないとこのまま衰退していってしまう。学生の自分にはお金もないし、スキルもないけど、奥多摩で何かをしたいっていう思いだけは溢れていて、その思いのまま走ってみて、失敗したら失敗したで若いからやり直せる。それぐらいの気持ちで突き進んでみることにした。

自分の感情にさからってまで、自分の思ったことをやらないのは、何か価値観が失われるというか、練り上げてきた気が飛んでいってしまうというか、そんな感じがしていたからだ。

僕は、奥多摩に移住して起業する

振り返ると就活をしていた頃、仕事ってなんなのかを何も知らないくせに、僕にはどういう仕事をしたいのかという方向性が強くあって、でもそれに合致する企業がなかった。

例えばインターン先のアミタ株式会社は、地域デザイン事業を展開するすごく面白い会社で、持続可能な社会をめざしていくことを掲げている。それでも会社であることに変わりはなくて、当たり前のようにスーツを着て、当たり前のようにパソコンに向かって、ビジネスのコミュニケーションをして——というのとは、僕の考え方は少し違っていた。

もっとラフに現場の中に入っていって、泥臭くてもいいから価値をつくり上げる、ベンチャー的な仕事がしたい。地域や、町や、環境問題について、営業のことやビジネスのことを学ばせてもらいながら、面白い仕事がしたい。

そう思っていたけど、それができる場がない。だからこそ、自分でつくらないとそういう仕事はできない。今なら失うものは何もない。奥多摩に移住して、自分で起業してチャレンジしよう。そう決めて、手にしていた企業の内定も辞退した。

卒論を書かずに、100人集まるシンポジウムを開く！

在学中、ずっと奥多摩という地域に関わってきて、分かったのは、「僕は頭で考えて文章を書くために活動してきたわけじゃない」ということ。ずっと地域活動をやってきたからこそ、ただ卒論を書いても、あとにつながらない。

だからゼミの先生に交渉して、最後のアウトプットとして、100人を大学の一番大きなホールに集めてシンポジウムをする、と宣言。そのための企画書も用意して、この企画を卒論の代わりにしてくださいとプレゼンもした。そうしたら、すごく理解のある先生だったので「いいよ」と言ってくれた。

そして、インターン先のアミタ株式会社で知り合った仲間たちと一緒に、僕をリーダーとして、2010年2月21日に「未来を創る地域デザインフォーラム」というシンポジウムを開くことが決まる。

開催にあたって、僕の中には、アカデミックで考えている大学の人間と、事業ベースで考えている企業の人間をつなげると、いいシナジーが生まれるんじゃないかという思いもあった。

シンポジウムは3部構成で、第1部ではアミタホールディングス株式会社の社長に基調講演を依頼。第2部のインターン生による報告会を挟(はさ)んで、第3部では、みんなで地域の未来をつくるにはどうしたらよいかを会場全体で話し合う〈ワールドカフェ〉を設ける。

当日までは、本当に死ぬ思いで準備に取り組んだ。前日になっても資料が全然出来上がらず、漫画喫茶にこもり、でもやらないといけないから徹夜で資料をつくって、ボロボロになりながら当日を迎えた。

当日までは不安だらけのシンポジウムだったのが、社会人、大学教授、学生などさまざまな立場の人に参加してもらえて、最終的には大成功に終わった。

そしてシンポジウムが終わった翌週には、インターン先で意気投合した仲間2人と、奥多摩に行って起業の準備を始めた。そんなスピード感で物事が進んでいった。

移住の始まりは、鳩ノ巣のカフェ山鳩から

最初は、中央線の立川あたりで拠点をもちながら、奥多摩に行きつつ、都心向けのサービスをつくって営業していくやり方もありかなと思っていた。

でもやっぱり、課題の中心、向き合わないといけない中心に行かない限り、その課題を解決する道筋には、間違いなくならない。最短でそれをやるためには移住して、当事者になって向き合い、関わって、そのなかで解決策を考えて事業を成り立たせていこう。

そんな仕組みや事業モデルを考えないと駄目だろうと思い、ぽーんと青梅線（立川駅を境に中央線から青梅線に変わる）の鳩ノ巣駅前にあるカフェ山鳩に行って、「移住します」と宣言した。

もともと山鳩を経営する原島俊二さん夫妻には学生時代からお世話になっていて、移住して何かやってみようというときに、まず相談しようと思ったのが理由。そもそも住む場所がないし、お金もないことを伝えたら、「近くの旧・学生寮が空いてるから、そこだったら貸してもらえるかもよ」と紹介してくれた。お金についても、「温泉施設がアルバイトを募集してるから、そこでやってみたら」と提案してもらえた。

CHECK POINT

カフェ山鳩（やまばと）

●所在地
〒198-0106
東京都西多摩郡奥多摩町
棚澤380（山荘は棚澤776）
●アクセス
JR青梅線・鳩ノ巣駅より徒歩1分
● TEL
0428-85-2158
●営業時間
10〜17時
（山荘はチェックイン15時、
チェックアウト10時）
●定休日
月曜日（祝日の場合は翌日。山荘は
不定休）

旅のひとこと

カフェは登山やウォーキングの休憩所として、山荘は宿泊所（合宿所）として利用可能。カフェのメインメニューは、ハヤシライスとそばサラダ、今日の手作りケーキ。店内にはギャラリースペースも。山荘にはコンドミニアムと和室あり。

CHECK POINT

もえぎの湯

●**所在地**

〒198-0212
東京都西多摩郡奥多摩町
氷川(ひかわ) 119-1

●**アクセス**

JR 青梅線・奥多摩駅より徒歩 10 分

● **TEL**

0428-82-7770

●**営業時間**

10〜20 時（12〜3月は 19 時まで。受付終了は 1 時間前）。足湯は 10〜17 時（12〜3月は 16 時まで）、館内にお食事処あり

●**定休日**

月曜日（祝日の場合は翌日）

旅のひとこと

奥多摩温泉の源泉 100%。露天風呂と内風呂を楽しめる。足湯は本館を利用していれば無料。お食事処には、そば・うどんをはじめ、川魚の塩焼き定食や豚の角煮丼などのごはんもの、おつまみもある。おみやげ・お買いものコーナーも併設。

そして始まったのが、家賃5000円・六畳一間の寮生活（実質的にはシェアハウス生活）。奥多摩駅から徒歩10分の距離にある温泉「もえぎの湯」でアルバイトをして、最低限の生活費を稼ぐ日々。空いた時間は、ひたすら事業計画を考え、さまざまな人にヒアリングをして、トライアル・アンド・エラーを重ねる。長い準備期間の始まりだった。

山奥に近い寮生活は、未知との遭遇

僕たちが入居した旧・学生寮は、その頃にはもう、林業ボランティアをしている人たちの拠点として利用されるだけになっていた。もともとは、電車の通っていない奥多摩湖や日原鍾乳洞あたりから高校に通う学生向けに建てられたもので、バス・トイレやキッチンは共同。リビングもあることを考えると、5000円は破格の値段。でも、実家に暮らしていた頃からは想像もできなかった体験をすることになる。

寮を借りることが決まって、ここ使っていいよと言われて入った部屋の床に、カメムシが大量発生していた。でも、何も分からずにそのまま掃除機で吸い込んでしまった結果、床にこびりついた臭いが全く消えなくなって、3か月ぐらいその臭いとともに生活することに。

さらに、実際に暮らし始めてから、夜中にふと目が覚めると、山奥のほうから女性の叫び声みたいなものが聞こえてくる。ひいやあああ――という、甲高い声で。それが何回も響いてきて、「これ絶対やばいやつじゃん」と不安に駆られて山鳩の原島さんに相談した。すると、

「それは鹿の鳴き声だね」

「鹿？　鹿って鳴くんですか？」

そんな感じで、山の中で過ごしたことがなかったから、驚くことばかりだった。でも、この町に住んでいる人は、当たり前のようにそのことが分かっているんだろう。

もちろん、いいこともあった。何よりも

2010 年の移住当初、おくたま海沢ふれあい農園での野菜収穫のお手伝い

CHECK POINT

奥多摩湖

●所在地

〒 198-0223

東京都西多摩郡奥多摩町原

（麦山の浮橋（うきはし）は、奥多摩町川野）

●アクセス

JR 青梅線・奥多摩駅より

西東京バスで 20 分

奥多摩湖バス停下車

※麦山の浮橋は、

西東京バスで 25 分

小河内（おごうち）神社バス停下車

下車後、徒歩 1 分

旅のひとこと

奥多摩を代表する観光スポット。1957（昭和 32）年に完成した小河内ダムにより、多摩川が堰き止められてつくられた人造湖。通称「ドラム缶橋」と呼ばれる麦山の浮橋から、湖畔（こはん）の小道を経て小河内ダムに至るまでがハイキングコースになっている。

CHECK POINT

日原鍾乳洞(にっぱらしょうにゅうどう)

●所在地
〒198-0211
東京都西多摩郡奥多摩町日原 1052

●アクセス
JR 青梅線・奥多摩駅より
西東京バスで 30 分
鍾乳洞バス停下車（休日は異なる）
下車後、徒歩 5 分

● TEL
0428-83-8491

●営業時間
9 ～17 時
（12～ 3 月は 9 ～16 時 30 分）

●定休日
年末年始

旅のひとこと

かつては山岳信仰のメッカだった、東京のマチュピチュともいえる日原。その一角にある荘厳(そうごん)な鍾乳洞には、地元の人だけが知るルートがあり、文字通り真っ暗な空間があって、身体と魂が一緒くたになるような経験もできたという……。

水が、すごくおいしかったこと。実家の小田原にいた頃は、水道水は基本的に飲まなかったけれど、奥多摩で暮らしてみると水道水もすごくおいしい。流れている水も綺麗(きれい)だからそのまま飲めるし、水がおいしいと、お米を炊いたり、味噌汁(みそしる)をつくったりしても、全部がおいしくなる。

日常で当たり前に使うものがおいしくなるということが、こんなにも気持ちを高めてくれるのが、素直に嬉しかった。

「本当の豊かさ」を求めて。任意団体アートマンズの設立

奥多摩に仲間3人で移住して、さあ何かを始めよう、でもその前に活動する団体（任意団体）としての名前を決めないといけない。

そういえば、在学中に3人がインターンシップを経験したアミタという会社は、サンスクリット語の「アミターユス：限りない生命」や「アミターバ：無限のひかり」をもとにしていた。アミタは僕にとってのロールモデルというか、めざしていきたい企業だったので、サンスクリット語の文字列を眺めて考えてみた。そんなときに目にとまったのが、「ア

ートマン（Atman）：本当の自分」という言葉だ。

その言葉と意味を初めて目にしたとき、僕はそれを探そうとしているんだなと、直感的に思えた。思いと熱さだけで移住してきて、何かをやりたくても何ができるか分からない、そして自分自身のこともまだ分かっていないという状況に、その言葉が合っていた。自分にしかできないことがしたいという気持ちも、強かったから。

そして、僕たちは3人の団体で、誰か1人ではなく複数人でつくったから、アートマンに「ズ」をつけて、Aで始まるから最後をSではなくZにした「AtmanZ」にしたら面白いかなと、そう命名した。掲げたのは、〝本当の豊かさとは何か〟ということ。

どの新聞よりも地域への影響力がある「西多摩新聞」の1面

ぼろぼろの学生寮に住まわせてもらい、名刺もつくって、何をやるのかは全く決めていないけれど「町の活性化のために何かやろうと思います」。

そう宣言しただけで、事業内容も固まっていない任意団体なのに、西多摩新聞の記者が取材に来てくれて、1面に載る、なんていうことがあった。

奥多摩

Atmanz 設立　まちづくりに挑む

少子高齢化が進む奥多摩町に今春、3人の若者が移り住んだ。菅原和利さん（22）、奥野慧さん（24）、村下知宏さん（22）は同町棚沢で共同生活をスタートし、奥多摩の住民と都市部の若者が協同で地域活性化に取り組む事業を展開する任意団体「Atmanz（アートマンズ）」を設立した。奥多摩に魅せられた若者たちの「新しい価値を生み出す町づくり」に期待が高まる。

「皆性格はバラバラでも、根底にある思いは同じ」と話す村下さん、菅原さん、奥野さん（左から）

西多摩新聞の1面（2010年5月28日付）で紹介されたときの記事。移住当時の仲間、奥野慧君（右）、村下知宏君（左）とともに

まだ、地域に新しく入ってきて事業を始める人がほとんどいなくて、移住者といえばアーティストさんだったり、作家さんだったりということが多かった。社会貢献的な理由で移住した人はもちろんいなかったし、そういうなかでも20代前半で学生上がりの3人が急に住人になって、「町のために何かしたいんです」と言ったのが、珍しかったんだと思う。

1面で取り上げてもらって、僕たちもとても驚いたし、その新聞を見てくれた人が予想以上に多くて、そのおかげで地域のいろいろな人たちに認知してもらえたのは、ありがたかった。

〈倉沢のヒノキ〉の下で、結婚式をプロデュースしよう

アートマンズを結成し、アルバイトをしながら、事業計画を検討し企画書を作成する。地域の人たちに話して回り、反応を見ながらブラッシュアップをして、何をやろうかと模索する。そうしたなかでやっと生まれてきた事業がある。

それが、〈アウトドアウェディング〉だ。

結婚式を事業に選んだのは、「この町は死んでるよ！」という一言が頭の中に残り続けていたから。町全体がネガティブな空気に包まれている印象があって、衰退してしまっても う駄目だというような雰囲気もあったから。

そんなことはないから、僕たちが移住して何かをやろうと思ったんだし、町を覆ってい る空気を根本から変えてやりたい。地域を明るくする、町が常に明るくなる状態って何か なと考えたときに、思い浮かんできたのが結婚式だ。

親戚の挙式以外は、ほとんど参加したこともなかった結婚式。でも、どうしてホテルと か式場でやらないといけないのかという疑問がずっとあった。本質的には2人の結婚を報 告する場で、関わっている人たちへの感謝を伝える場だと思うから、もっと自由にやって

みていいんじゃないか。

自由に、自然に。シンプルに、カジュアルに。ハレの日を飾るのにふさわしい舞台が、奥多摩にはたくさんある。例えば、日原（にっぱら）方面にある〈倉沢のヒノキ〉。この巨樹を生かしたウエディングができないか。ウェディングなら、遊びの余地もあるし、地域の資源を生かして自由にプランニングできる。そこまで考えてからツイッターで、「屋外の結婚式を奥多摩でやりませんか」と呼びかけた。

十数万円の事業を受注し、発熱でダウン……

募集をかけると、やってみたいという人が現れた。

50代のカップルで、式場で開くのにはためらいがあって、でも大事な日だから、自分たちらしいものにしたいという話をいただいた。

じゃあ、奥多摩を1日訪れるウェディングデートにしませんか、と提案。デートでいろいろな場所をめぐった最後に、結婚式を開きましょう。奥多摩駅に集合してから、森の中の吊り橋でウェディングフォトを撮影したり、カフェ山鳩（やまばと）でスペシャルなランチを用意してもらったり。次にどこへ行くのかを示したカードをサプライズで渡してもらって、それをたどっていくと倉沢のヒノキに到着するという流れにして。

そんな1日がかりのデートとウェディングのプランを、料金は十数万円と設定。パワーポイントのプレゼン資料にまとめて提案した。正直それまでの人生では月にアルバイトをしても6万円や7万円とかで、自分でお金を稼ぐという意味では、十数万円という単位は初めてのことだった。そして、資料に目を通してもらい、プランの了承が得られたその夜。

熱が出て倒れた。

嬉し過ぎたのと、緊張し過ぎたのと、気が張り詰めていたせいで発熱して、でもそれは一生忘れられない出来事になった。自分が頭に描いていたものを評価してくれて、価値があると認めてくれて、お金を払ってくれる人が現れたわけだから。

今思えば小さな話だけど、当時の僕にとっては大事件で、自分に力がなくても地域にある資源や、地域の人たちの力を借りれば、できることはいっぱいある。こんな体験が、社会の仕組みとしてやりやすくできれば、もっといろんな人が生きやすくなるんだろうな。そんなふうにも思えていた。

初めて開いたアウトドアウェディングの一幕。笑顔に包まれた素敵な結婚式になった

CHECK POINT

倉沢(くらさわ)のヒノキ

●所在地
〒198-0211
東京都西多摩郡奥多摩町日原 567
●アクセス
JR 青梅線・奥多摩駅より
西東京バスで 20 分
鍾乳洞行、倉沢バス停下車
下車後、徒歩 25 分

旅のひとこと

奥多摩町は、890 以上の巨樹・巨木がある日本一の里。そのなかでも代表的なものが倉沢のヒノキで、樹高は 30 メートルを超える。東京都の指定天然記念物で、樹齢は約 1000 年。足元に立てば、その存在感に圧倒されるはず。

奥多摩を第2・第3の故郷にする

アウトドアウェディングを初めて実施したのは、2011年の2月。東日本大震災が起きる1か月前だ。単なる結婚式のサービスじゃなくて、結婚する2人にとって故郷になるような場所を、奥多摩で提供したかった。結婚記念日や家族の休日に、またこの地域に戻ってきたくなるような、そんな事業にしたい。

自分たちが何をやるかということだけじゃなく、奥多摩の活性化もしなきゃいけない。もっといろんな人に地域を知ってもらいたい。そんな価値観が強かった。奥多摩を第2・第3の故郷として考えてもらう、観光地ではなく関係地になる事業やサービスを考えていく。そうやって多くの人が奥多摩を訪れることによって、奥多摩に住んでいる人たちが、「自分たちの地域は素敵な場所なんだ」と思えるようにしたい。

結婚式をやるなら尚更、反対する人はいないし、みんな笑顔でお祝いしてくれる。僕自身も、ウェディングプランナーの人に協力してもらったり、ウェディングの専門学校に通っていた友人にヒアリングしたりして、フレームを学びながら、奥多摩だからできるサービスにブラッシュアップしていこう。

成功体験を胸に、次のステップへと進む。氷川キャンプ場を貸し切り、100人以上が参加するキャンプウェディングを実施しよう。初めての共同作業を、キャンプファイヤーの着火にしよう――。

そんな企画も成功させて、アートマンズとしての事業の柱が見え始めた。奥多摩という地域で、順調に歩みを刻んでいる、このときはそう思っていた。

CHECK POINT

氷川(ひかわ)キャンプ場

●所在地
〒198-0212
東京都西多摩郡奥多摩町
氷川702

●アクセス
JR青梅線・奥多摩駅より
徒歩5分

● TEL
0428-83-2134

●営業時間
宿泊施設は電話予約制
チェックイン14時
チェックアウト10時

●定休日
年末年始

旅のひとこと

トイレ・冷蔵庫・キッチン・敷布団などを完備したロッジタイプと、コンセント付きのバンガロータイプがある。キャンプ場内には予約制のバーベキューハウスを付設。また、4～12月中旬にはカフェ「クアラ」が土日・祝日に営業している。

コラム

思考のレベルアップ 1

最初にたどりつく人間になりたい

人間にはいろんなタイプの人がいると思うけど、僕の場合は、まだ誰も行ったことがないところに、一番に行きたいと思う冒険家タイプ。

雑草だらけだったり、森で道が全然なかったりするところを、たぶんこっちだと思うという方向性を頼りに突き進んでいって、見つけたときに、「あったぞー」「おーい」と手を振るように。

そこに多くの人が行けるようにするには、整地しなきゃいけなかったり、もっと道をならして車が走れるようにしたりとか、あと車をそもそもつくるとか、いろんな役割の人がいるけれど、常に未知の景色を探して走り続けたい。だから、誰かがもうやったことをやるのは、ちょっと面白くない。

ただ、同じようなやり方でも、違う登り方、違うルートを行くと異なる見え方をするから、それも面白い。アートマンズで取り組んだアウトドアウェディングも、当時ほかの場所でいくつかやっている団体はあった。でもそれを、自分でアレンジしながら奥多摩でしかできないことをやっていく。そんなチャレンジをするのが、やっぱり面白い。

僕と奥多摩の日常② 夏

奥多摩では夏になると毎日、バーベキューや登山を楽しむ観光客の姿を目にするようになる。1年で一番賑やかな季節だ。
そして、奥多摩の人々にも、1年で一番楽しみにしている行事がある。数百年続く伝統芸能の獅子舞だ。

8月に入ると毎週末、集落ごとにお祭りが開催されている。学生時代、お祭りのことを調べていたときに住人の方に聞いたら「奥多摩の人たちは毎年獅子舞を楽しみにしていて、ここで燃え尽きるんだよ」と言っていた。それは住人になった今の立場になると本当にそうだなと思う。

笛の音色に誘われながら3頭の獅子が舞うその光景は、きっと昔から変わらない奥多摩の夏の風景。僕は、以前住んでいた小河内地域の川野集落の獅子舞で獅子を担っている。移住した当初はお祭りの受付だったのが、数年住むと地域の方から信頼されるようになり、獅子をやらせてもらえるようになった。

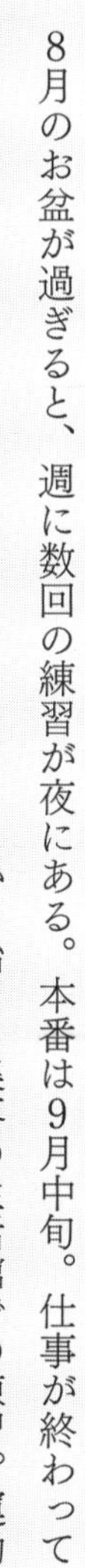

8月のお盆が過ぎると、週に数回の練習が夜にある。本番は9月中旬。仕事が終わってから始まる集落の生活館での練習。運動は昔から得意だったけど、踊るのが苦手だったから覚えるのに苦労した。でも何度も何度も練習したり、昔の人たちが踊った映像を何回も見たりして、身体に奥多摩の夏を刻んでいく。

これが毎年変わらない夏の日常だ。ハレの日に備える日常は、大変だけどやりがいもあって楽しい。今年は去年よりも上手（うま）くなりたい。子どものような感覚で毎年夏を楽しんでいる。

第2章

芸能プロダクションの地域版をめざして

［自分にしかできないビジネスを興す］

3.11と決意――鳩(はと)の巣釜(すかま)めしの隣の事務所で

初めてのアウトドアウェディングを終えた翌月。鳩の巣釜めしの隣の事務所(2010年夏頃に事務所を借りた)にいると、感じたことのない揺れを体験した。

ごおおお……と山が揺れているように見えて、ものすごい音もして、なんだなんだと思って向かいの人の家のテレビを観たら、あらゆるものが津波で流されていく映像が映った。とんでもないことが起きたと思っていたら、今度は停電が発生。でもアルバイトに行かなくちゃいけない時間だったから、青梅(おうめ)駅の近くにあった白木屋に向かい、深夜まで厨房(ちゅうぼう)にいた(この頃には、時間が合わなくなり「もえぎの湯」でのアルバイトは辞めていた)。

こんなときに、俺、何やってんだろう。

電車が動いていないから、身動きが取れない人のために店を開けるのも、大事な役割ではあったけれど。いろんな情報が乱舞(らんぶ)していて、ツイッターで情報をシェアすることしかできない自分が、本当に悔しかったし、無力感を覚えた。

夏が来る頃にアートマンズを株式会社化できるといい、そんなふうにぼんやりと思っていたけれど、このまま中途半端(ちゅうとはんぱ)にやっているだけじゃ駄目なんだと、この日を境(さかい)に強く意識するようになった。

仲間2人は、それぞれの道へ

もっとちゃんと、事業を形にしないといけない。そう思ったときに、「NPO法人ETIC.によるソーシャルベンチャー・スタートアップマーケット」の募集があった。

書類をつくり、応募し、一次審査を通り、二次審査でプレゼンをして、なんとか合格。事業立ち上げの資金をいただきつつ、メンターと呼ばれる事業経営の経験者からいろいろなアドバイスを受けて、ようやく会社を立ち上げられる体制が整った。

一方で、東日本大震災を契機に、一緒に奥多摩へ移住した仲間2人は別の道を選び、それぞれに歩み始めることになった。1人はその後、学校以外での学習機会に恵まれていない子どもたちを支援する団体、公益社団法人チャンス・フォー・チルドレンの代表理事になった奥野慧君。もう1人は、故郷である北海道浦河町で、地域で活動したい人のコーディネート事業などに携わる、株式会社ユートラインを立ち上げた村下知宏君。

CHECK POINT

鳩(はと)の巣(す) 釜(かま)めし

●**所在地**
〒198-0106
東京都西多摩郡奥多摩町棚澤 375
●**アクセス**
JR 青梅線・鳩ノ巣駅より
徒歩１分
● **TEL**
0428-85-1970
http://hatonosukamameshi.com
●**営業時間**
10 時 30 分～18 時（繁忙期は時間短縮営業の場合有り）
●**定休日**
水曜日／年末年始

旅のひとこと

鳩ノ巣駅周辺を代表するお食事処。２大メニューは、きのこ釜めしセットと山菜釜めしセット。一品料理として大好評の奥多摩やまめの刺身、奥多摩やまめの塩焼も楽しめる。１階はテーブル席、２階は会席向けでお座敷になっている。

彼らとは方向性は同じというか、こういうことをやりたいという思いは同じだから、それぞれに活動を続けながら、今も顔を合わすことがある。大切な友人であり、良き仲間だ。

福島と奥多摩をつなぐために

アートマンズの株式会社化と前後して、僕にとって、とても大事なイベントが立ち上がった。

インターンシップ時代の仲間の友達だった石森禎枝（いしもりよしえ）さんが、福島県伊達市月舘町（だてしつきだてまち）の地域おこし協力隊に着任する前、奥多摩へ遊びに来てくれて、仲良くなった。そして東日本大震災が起こったあとの5月。アートマンズの事務所に、石森さんから電話がかかってきた。震災による放射能の影響で子どもたちが外で遊ぶことができないから、せめて夏休みの間だけでもなんとかできないか、と。

その頃、僕はもうアートマンズを株式会社にすると決めて動いているところで、奥多摩を離れることはできない、でも何か貢献したいというもどかしさみたいなものをずっと抱（かか）えていた。そんなときに相談を受けたから、二つ返事で「分かった。じゃあ奥多摩でキャンプをやろう！」と決めた。

やろうとは言ったものの――。

僕はそのときまで、実はキャンプをやったことがなかった。

月舘町の子どもたちを奥多摩で受け入れるキャンプなのに、当の本人が「キャンプってなんだ？」という状態。でも、受けたからには絶対成功させなきゃいけない。そう思って、学生時代からお世話になっている人、移住してからお世話になっている人に相談していった。もし実現したら、協力してもらえませんかと。

すると、みんなも福島の人たちのために何かしたい、でも募金ぐらいしかできないというもどかしい思いをしていて、そんな機会があるならいくらでも協力するよと言ってくれた。キャンプ場を無料で貸してくれたり、温泉も無料で使わせてくれたり。何名かの方は高額な寄付をぽんと出してくれて、あとは募金で必要なお金を集めていった。

全部で30万円ぐらい、今でいうクラウドファンディングだけど、まだそのようなお金の集め方は認知されていなかった時期だから、アナログで集めるしかない。

1人ひとりに話に行って、協力してほしいと言って、ボランティアで関わるよと手を貸してくれた人もいたし、食事を作って子どもたちに振る舞ってくれた人もいた。

つきたま子どもサマーキャンプ、開催

運営側、受け入れる側はそういう形で体制が整った。その一方で、月舘町の親御さんたちがかなりセンシティブな状態にあって、「震災の大変なときに子どもだけ送り出すなんてできない」という声を、石森さんから伝えられた。

どんなヤツが受け入れるのか分からないと、送り出すほうも不安だから、「じゃあ僕が1回説明に行くよ」と電話で連絡。それが6月頃のことで、月舘町の親御さんたちに対して、アートマンズがどういう団体なのか、どういうことをやろうとしているのかを伝える説明会を開くことになった。

今だから言えるけれど、奥多摩でキャンプをやってくれる会社の社長が説明に来ると聞いて、実際に現れたのは23歳の若者で、親御さんたちはすごい不安だったと思う。

でも僕も、当時はとにかく必死だった。なんとかして子どもたちを外で遊ばせてあげた

い。僕自身も子どもの頃に、思いきり外で遊んで、自然が大好きになって、森や環境問題について考えられるようになったから。それが子ども時代にできないっていうのは本当にきついな、と思っていたから。

ただでさえストレスがあるのに、さらに外で遊ぶことを制限されるのは、絶対将来の価値観形成に影響が出てきてしまう。なんとかキャンプをやりたいんですと、出来うる限りの誠意で、質問を受けながら説明する。

結局、最初の説明会だけじゃなく、実施が決まった直前に最終確認のための事前説明会、終わったあとも報告会を開いて、最後まで走り抜いた。

幸い、キャンプが終わったあとの反応は、非常によかった。本当に「連れてくるんじゃなかった」とは一言も言われず、ものすごく感謝されたのを覚えている。

当時の僕は、まだアートマンズを株式会社化しようと決めたばかりで、社会に対して何かやりたいという思いを抱えながら、学生上がりだからまだできないと思っていたときに、そういう機会を与えられて、本当に「自分が無い」無我夢中の状態だった。

ただ、どう成功させるか、子どもたちを楽しませられるか、だけを考えていて。その流

2011年夏のつきたま子どもサマーキャンプで撮影された集合写真。この子どもたちも今は、20歳前後の年齢になっている

れのなかに、ちょうどアートマンズの株式会社化という出来事があって、記憶にないぐらいエネルギーを集中させていたと思う。

成功を収めたことでキャンプは翌年も続き、3年目・4年目は月舘の人たちと奥多摩町が、町の正式な事業として引き継いでくれた。このときの気持ちを忘れないように、つきたま子どもサマーキャンプの集合写真は、今でも僕のフェイスブックの待ち受け画像にしている。

ウェブサイト制作からパソコン教室まで

アートマンズを収入面で支えてくれたもののひとつが、ウェブサイトの制作だ。

高校時代の同級生だった川野哲嗣（かわのさとし）君が、途中から一緒に事業をやりたいと言ってくれたので、僕が営業して受注し、彼がサイトをつくるという事業を始めた。地域の商店や宿にはそもそもサイトがなくて、ウェブに詳しい人もいなかったから、その間を埋める役割になれたのは大きかった。

当時の山鳩(やまばと)のサイトもそうだし、奥多摩の建設会社のサイトをつくらせてもらったこともあった。スタートしたのは、アウトドアウェディングが成功してきたタイミング。1件10万円からといった価格で受注して売上を立てられたから、僕がアルバイトを辞めて自社の事業に集中して、さらにもう1人分を含めて稼げるようになってきた。家賃5000円の寮生活をしていたから成り立つようなものではあったとしても。

ウェブサイトの制作に関わったことで、奥多摩の発信されていなかった情報が発信されやすくなる。訪れる人たちもスマホを持っている人が多くなって、情報をネットで集めているから、サイトがちゃんとしているだけで、売上が増えたり問い合わせが増えたりという効果が出てくる。

そして、ウェブサイトの制作だけじゃなく、パソコン教室もやったりして、とにかくがむしゃらに取り組んだ。自分たちの事業だけで成り立たせたい、やらなきゃ生活ができない。退路を断(た)ったことで、いろんな人たちが応援してくれて、大丈夫かと言われながらも、必死に取り組んでいる姿も見てもらえていたと思う。

頑張って続けていけば、とりあえず2人分ぐらいは賄っていけるかな。

それまでは株式会社にしてもしょうがなかったけど、ようやく形がついてきて、会社としての体裁をとることに意味ができた。

そして、アートマンズ株式会社の創業へ

アートマンズを株式会社化したのは、２０１１年７月。

すでに取り組み出していた〈アウトドアウェディング〉で、自分のやろうとしていることが明確になってきた。奥多摩の力を借りてサービスをつくり、それを通じて本当の豊かさを提供する。

アートマンズの役割は、自分たちで価値を見いだして人と人をつないでいく、芸能プロダクションの地域版みたいなもの。人の才能を生かす場を、そのための舞台をつくり続けていく、〝地域プロダクション〟。僕自身は職人でもないし、技術があるわけでもない。地域の資源を、世の中の人が価値だと思うものに変換していく、その事業を通じてお金をい

ただく。

僕は、自分自身に価値があるとは思っていなかった。奥多摩にはこんなにいいものがあるから、それを価値あるものと思ってもらえるような編集やプロデュースをして、関わる人たちが輝けるような舞台をつくっていく。そんな活動を通じて、人と地域の一生をデザインしていけたらいい。

23歳だった僕には、自分で道を切り開くことを選んだ時点で、誰かがやってくれるということがなくなった。自分で価値をつくりだしていかないと、存在意義はないし、誰かが評価してくれるわけでもなかったから。

株式会社になったことで、周りの人たちの反応も変わってきた。「こいつらは、本気でやろうとしてるんだな」と。

地域では、誰もが何かの専門家

奥多摩に暮らし、事業を展開させながら、地域の魅力をどう最大化できるかをずっと考えていって、人のつながりが大事だという結論に至った。

地域にいる人には、何かしら役割があったり、その人にしかできない仕事や活動があったりする。見ていけば見ていくほど「○○についてはあの人に聞け」みたいなものがたくさん見つかる。わさびだったらあの人に聞けば分かるよ、というように、誰もが何かの専門家に思えて、そして弱い部分は相互に補完し合いながら、地域社会を運営している。

それでも地域は衰退（すいたい）しているという現状に対して、もう一度地域の価値や、その人の価値をプロデュースしていこう。そして、奥多摩がより魅力的になる事業をやっていきたい。そう思った。

都心で生まれる言葉の本質は、地域にある

すごく印象的だったシーンがある。アートマンズで地域のお祭りを手伝っていたとき、大人たちが獅子舞（ししまい）を踊っていくなかで、1人の子どもがいきなり入って来て一緒に踊り始めた。「あー、あの子、何やってるんだよ」と僕が心配していると、地域の人たちは「ああ、またあの子だ」という感じで、その光景を受け入れている。

さらによく見ていると、その子はダウン症だった。

世の中ではどうしても、障害者の人と健常者の人という分け方をして、それぞれ別のコミュニティで生活を送っていくことが多い。でも、地域のお祭りという場だからこそなのかもしれないけれど、その垣根がなくて一緒だった。その子の個性をコミュニティの人たちはみんな理解していて、許していて、笑っている。いいぞいいぞという感じで。その子も周りの雰囲気を感じ取って、すごく楽しそうにしている。

その瞬間、輪に入れなかったのは自分だけで、ああ、すごいものを見てるのかな、という気がしてきた。僕が今まで見てきた世界とかけ離れている、奥多摩という地域においては許されるもの、それぞれの個性として認識されるものがある、と。その価値観は発信しなければ、永遠に知られることはない。多様性とかダイバーシティとか、都心で生まれる言葉の本質は、全部、地域にあるんじゃないか――。

都心のほうが情報を発信する主体として強く、見せ方も上手いから、一見すると地域が都心に合わせるという視点になってしまう。でも、地域の中をよく見てみると、ほとんどのことがよくできていることばかりなんじゃないかと思えてくる。理想的な部分が、常にあるんだと。

奥多摩をシェアする〈シェアヴィレッジ〉始動

アウトドアウェディングを数件成功させたタイミングで、アートマンズという会社は、地域の資源を上手く生かしてくれるヤツらなんだと思ってもらえたのか、いろいろと相談が舞い込むようになった。

同時に、役場の人や地域に住んでいる人から、奥多摩には300軒ぐらいの空き家があって、それが問題になってきているというのを耳にした。じゃあ何か空き家を使った事業を考えてみよう。

そのときに出始めていた言葉がシェアハウスで、そういえば旧・学生寮で仲間2人と暮らしていたときは、ある意味シェアハウスに住んでいた（仲間2人が離れてからも旧・学生寮に住み続けてはいた）ので、そういう価値観が評価される時代になったのかという実感もあった。

だったら、シェアハウスの別荘版をつくって、都心で暮らしている人たちに来てもらおう。山が好きだったり釣りが好きだったり、何か趣味があって奥多摩を訪れる人同士がつながれる拠点をつくろう。

そのためには家という場所を借りるのが一番分かりやすいし、村や町＝ヴィレッジ全体をシェアするという意味で、シェアヴィレッジというサービスにしたらどうか。人と人が奥多摩で集うことができるようなサービスを、つくりだすんだ。

空き家をシェア別荘にして、新たなコミュニティを生み出す

今でいう民泊だったり、場所貸しだったりというサービスがまだ認知されていなかった時期。ただ家を貸すだけじゃなくて、お祭りに参加することができたり、地域に住んでいる人しか知らない蛍が見られるスポットを紹介するなど、地域情報も提供したりする。二拠点生活という言葉は知られるようになってきていたから、その流れに乗って、面白い事業だと捉えてもらえたと思う。

サービスの料金体系は、月額会費制のサブスクリプションモデルにした。そのつど支払う形態も考えたけれど、何度も気軽に利用して、住民のように奥多摩での暮らし体験を楽しんでもらいたいと考えたからだ。奥多摩を愛する人たちのコミュニティができることも

期待していた。

2012年3月に募集を始めて、1か月ぐらいで約10人が登録してくれた。20代・30代の社会人が中心で、会社だけのコミュニティじゃなく、自然の中で遊ぶのが好きな人とつながりたいという理由から集まってくる。鳩（はと）ノ巣（す）駅から徒歩3分の空き家をシェアしても

上の写真：シェアヴィレッジに使用する一軒家は、NOSNOSと名づけた
下の写真：落ち着いた雰囲気で時間を過ごせる、シェアヴィレッジの内装

らい、会員同士がフェイスブックでコミュニケーションを交わしながら運営する。家主さんとの交流もあって、時にはシェアしている住人同士で食卓を囲む。

とにかく僕は、リピーターをどう増やすかをシンプルに考えていた。何度も奥多摩に通っていくなかで、ゆくゆくはここに住んでみようかなと思う人が増えたらいい。家主さんは、見ず知らずの人に家を貸すことにはためらいがあるから、僕のように日頃からコミュニケーションをとっている人間が間に入ることで、外から来る人たちに場所を貸すことができる。

イベント的なものじゃなくて、何度も奥多摩に来てもらえるようなサービスをつくる。その意味では、アウトドアウェディングもシェアヴィレッジもつながっていた。

鳩ノ巣渓谷が日常に、非日常が日常になる暮らし方

奥多摩には、鳩ノ巣渓谷という美しい渓谷がある。観光スポットとして、外から来る人が訪れたりしているけれど、鳩ノ巣に住んでいる人から見れば、その渓谷も日常の風景のひとつだ。

つまり鳩ノ巣でシェアヴィレッジをすれば、観光地が日常になって、美しいものが自分の生活の一部になり、豊かな暮らしにつながっていくということ。そういう新しい生き方や暮らし方はどうですか、という提案をやりたかった。

日常は都心のマンションで、こだわりをもたずに便利であることを優先して。それに対して非日常で、旅に出たりキャンプに行ったり、アウトドアを体験したりする。そうじゃなくて、非日常を日常にしたほうが豊かなんじゃないかと、素直に思えたからだ。

でもいきなり移住するのはリスクがあるから、まずは小さく、シェアヴィレッジというサービスを通じてやってみるのはどうですか。そんな提案だった。

山村文化のなかで暮らすという体験は、思ってもなかなかできるものじゃない。中山間（ちゅうさんかん）地域の限界集落について、世の中の人は社会問題として認知してはいても、暮らす場所としては捉えていない。でもその中にいるからこそ、楽しさも味わえるし、大変さがあっても、まずはエッセンスを体験してもらって、少し暮らし方を変えてみることはできる。

そうやって、人生が豊かになる人が増えていってくれたら、嬉しい。登録してくれた人も毎週来てくれて、やる価値があるのかなと手応えも感じてきた。

〈第二住人〉を増やすための入口になる

アウトドアウェディングやシェアヴィレッジを通じて、どう外から人に来てもらうかを考える。例えばキャンプ場で開くウェディングなら、100人単位で人が来るから、金額も大きいし、ビジネスという意味でもありがたい。

一方で、定常的に入ってくる人がいて、そこでのキャッシュフローも必要になる。年1回しか来ないんじゃなく、常に新しい人がいる状態をつくる、毎週のように土日になると現れる〈第二住人〉みたいな人を増やす。人が増えていけば、住めないまでも「いつも君はいるよね」と言われるようになると、地域でできることも増えるし、町にも本当の意味で活気が出てきたと思ってもらえる。

アートマンズが、地域に入っていくための入口になって、シェアヴィレッジを使ってさまざまな人と交流しながら、人と人のつながりを生み出すことができていけたら、これ以上のことはない。

CHECK POINT

鳩ノ巣渓谷

●所在地
〒 198-0106
東京都西多摩郡奥多摩町棚澤
●アクセス
JR 青梅線・鳩ノ巣駅より
徒歩 10 分

旅のひとこと

遊歩道を進んでいった先にある鳩ノ巣小橋からは、渓谷の雄大な風景を一望することができる。青梅線沿線の境目にあり、吊り橋を渡る前に左へ向かえば古里駅へ。吊り橋を渡った場合は、白丸ダムを経て、やがて白丸駅にもたどりつける。

僕は、学生時代にたまたま山鳩の原島俊二さん夫妻や他の人たちと知り合って、お世話になりながら地域に入っていくことができた。だから自分と同じように、人生を豊かにするためにもっと地域と関わりたいと思う人が、地域に入っていきやすい仕組みをビジネスでつくっていこう。

コミュニケーションの上手い人が地域に入っていける、というわけじゃなくて、本当に充実したライフスタイルを送りたい人が入っていきやすい仕組みをつくる。

そうしたら、いろんな人たちが地域を訪ねていって、そこで起業したり結婚したりして、式を挙げるときはアウトドアウェディングで——まさに人と地域の一生をデザインすることにつながっていくはずだ。

アートマンズの事業として、ゆくゆくは葬儀のサービスもやりたいなと思えてきた。森の中の樹木葬のイメージだ。そこまでやれたら、人と地域の一生をデザインしていくことになる。本当の豊かさってこういうことじゃないですか、という価値観を提案しながら、どこから入っても、奥多摩で幸せになることができる——。

そこまで考え始めていた矢先の、出来事だった。

実家で母と同居していた祖父が、亡くなったのだ。

冒険の終わり

僕は、家計を立て直すために、実家へお金を入れないといけない立場になった。

２０１２年の夏。ちょうど、２年目のつきたま子どもサマーキャンプが終わったタイミングだった。どうしてかそのとき、気持ち的にも張り詰めていたものが、ぷつんと切れた。

「あっ、もう帰らなきゃ」って。

一時的に、実家のある小田原に戻って休みながら考えた。奥多摩と実家のこと、両方を並行してやっていくのは、今の僕には無理だ。

そうして出した結論は、アートマンズを休眠する、ということだった。

会社の事業としては、いい流れになっていた。でも、事業だけをやれる状況ではなくなってしまって、いろんなもののバランスを取ろうとしたときに、気持ちと身体がついていかなくなってしまった。

そして、糸が切れたように、僕は奥多摩を離れることになった。

第3章

理想と現実
奥多摩↑↓小田原の迷い道

［発想を換えて逆境を切り開く］

夜明け前に終わってしまった夢

アートマンズの中心事業が、アウトドアウェディングとシェアヴィレッジで定まり、会員数も少しずつ伸び始めていた。でも、それと比例して、意識していないところで心労も蓄積していた。

続けていくうえでネックになったのは、お金の問題だけじゃなかった。本当に継続していけるのかどうか分からないビジネスモデルというのが、精神的にきつかったことに、気づいた。

そんなときに、小田原の実家で母と同居していた祖父が亡くなった。祖父がいなくなってしまったことで、僕が実家にお金を入れて、母を助けないといけなくなった。それが最後の一押しになった。

アートマンズを休眠させて、小田原へ戻る。

出て行ったら二度と戻れない。そんな覚悟のなかで盛大な送別会を開いてもらって、お世話になった方に1人ひとり謝り、お礼を言って、奥多摩を離れた。

そして、僕自身がお金を稼ぎ、家にお金を入れるという新たなミッションが、課された。

小田原で、不動産屋の営業マンになります

小田原で何をすれば稼げるのかを調べて、地域の中でビジネスの生まれやすい不動産屋に目が向いた。もう亡くなっていたけれど、伯父が不動産屋をやっていて、僕自身が奥多摩で取り組んでいたシェアヴィレッジも、広い意味では不動産に関わる事業。何か縁があるのかなと思って、何社か応募をして面接に行ってみた。

数社目の面接で社長さんと話しているときに、伯父のことを伝えると、生前親しくしていたことが分かって、じゃあぜひということで採用が決まった。2012年9月のことだ。

地元では一番規模が大きく、同年代の社員も10人近くいる。ただ、出社してから掃除とラジオ体操、それから走ってオフィスに入り、腕を後ろに組んで「本日の朝礼を始めます！」という軍隊みたいな挨拶もする、そんな会社（ブラック企業）だった。

仕事を始めると、奥多摩でビジネスをやっていたこともあって、最初は簡単に目標を達成できて、社長賞ももらえた。あ、不動産屋ってこんなものか、すいすい稼げるのかなと思っていたら、翌月から現実に直面することになる。

ネガティブ・スパイラルの罠

設定されたハードルが、思ったよりも高いことに気づく。いくらやっても目標を達成できない。どんなに考えても上手くいかず、朝8時に出社して、帰宅は23時とか終電という状態が週6日続く。たまの休日も、会社のコンペでゴルフに参加することになって、ほとんど休めない。

少しずつ精神的におかしくなっていって、ある日の朝、目を覚ましたら、体が全く動かなくなっていた。気持ちもぐしゃぐしゃの状態で、横になったまま考え続けた。

お金を稼がなきゃならない。でも、奥多摩のことも心残りだ——。

ネガティブ・スパイラルに入っていったとき、小田原でも自分の力は通用しないんだという、自分自身への絶望感みたいなものがあった。僕は、こんな程度の人間だったのか、働くことすらできない人間だったのか。情けないな。

後ろ髪を引かれる思いで小田原に戻ってきて、ある意味で僕は目の前の現実に集中できていなかった。奥多摩でやりたかったことが中途半端に終わってしまって、なんで今はお金のことしか考えない、地域とかまちづくりとか1回も出てこない仕事をしているんだろう、なんでこんなことをやってるんだろう。そんなことばかりを考えていた。

でも、そんな状態でいたから、今の仕事に向き合えていなかったんじゃないか。

「お金のことしか考えないようにしよう」

ネガティブな感情が一周回ったあとに、思い至った。お金を稼いで家に入れなきゃならないし、営業以外にできることもない。中途半端な覚悟を捨てて、自分ができていないことを認めて、この道で生きていくんだ。同じ境遇、同じ状況だけど、考え方を変えよう。マイナスからのスタートになっても、ここでやるしかない。そうやって気持ちを整理して「ひたすらお金のことしか考えないようにしよう」と切り換えた。心の中で。

1週間の休暇を取ってから、職場に復帰した。そうやって働き始めたら、だんだんと数字が伸びてきて、売上目標を連続で達成できるようになっていった。

目の前の仕事に集中することで、やっと調子が出てきた、これなら不動産屋として生きていけそうだ。そして、営業マンとしての日々に慣れ、数か月が過ぎたとき、ある連絡が入った。

1泊2日の奥多摩帰還

2013年の、ある日の夕方。友人のデザイナー太刀川英輔さんから電話があった。学生時代のインターン先でもあるアミタの元・子会社で、地域の林業を支援するコンサルティング会社「トビムシ」が、奥多摩で地元の人とコミュニケーションを取って一緒にビジネスができる人を探している、と。

その瞬間は、「ああ、そうなんだ」ぐらいにしか思わなかった。僕はもう小田原で営業マンをやっていて、奥多摩に戻ることはできないけど、せっかくの相談だから、必要な人全員にとにかくつなげよう。だから絶対に成功させてくださいと伝えてから、奥多摩でお世話になってきた人に声をかけた。そしてこの機会に、僕自身も久しぶりに奥多摩へ行くことにした。仕事の合間を縫ってなんとか休みを取れた、1泊2日のささやかな帰還。

顔合わせの場所は、奥多摩の氷川にある蕎麦太郎カフェ。集まった人たちに、御無沙汰ですと挨拶しながら、「トビムシという会社が、『東京・森と市庭』という新しい会社を始めようとしているので、皆さんぜひ協力してください」と頼む交流会。集まった人たちの拠点をマップのようにまとめて紹介して、これで役目を果たして終わり、と思っていた。

でも、正直に言うと一緒にやれたらいいなあという思いは、湧いてきていた。心がまた揺れ出して、この機会を逃したら一生、奥多摩に戻れるチャンスはないんじゃないか。チャンスが目の前にあるなら、また戻りたい。そんな思いが渦巻き出した。

本当の帰還？

しばらくの間やりとりがなく、不動産屋の仕事に集中していると、奥多摩を案内したトビムシの西原啓史さんから連絡が来た。たぶんいろいろな人を探して、それでも適任者が見つからなかったのか、一緒に会社の立ち上げをやらないかという話をしてもらった。

「分かりました、ぜひお願いします」

そう答えて、でも僕はどこかで、「これは嘘なんじゃないか」と思っていた。

そもそも、こんな話あり得るか。奥多摩を離れて、まだ1年も経ってないのに。

あのとき大変な思いをして、事業をやめる決断をして、小田原に戻ってきて、不動産屋の営業マンとしてようやく軌道に乗り始めているのに、こんな話があるのかって。

やっぱり会社は立ち上げられなくなりました、みたいなオチが絶対あるぞと思っていた。

CHECK POINT

蕎麦太郎カフェ

●所在地

〒198-0212
東京都西多摩郡奥多摩町
氷川 397-1 氷川国際ます釣場２Ｆ

●アクセス

JR 青梅線・奥多摩駅より徒歩６分

● TEL

0428-83-8160

●営業時間

11～17 時（ラストオーダーは 16 時。12～２月は 11～16 時でラストオーダーは 15 時）

●定休日

年末年始のほか、詳細は SNS 等で要確認

旅のひとこと

釣場に併設されたレストランのため、景色を楽しむ憩いの場にもなる。福井県産の大麦と、奥多摩産の麦味噌ダレを使用した手打ち麦切りが自慢。チキンをはじめとした本格カレーも魅力。春から秋は無休でお店を開けている。

２０１３年10月1日が初出社の日と決まっていたのに、前日の9月30日まで信じていなかった。絶対に断（ことわ）りの連絡が来ると思っていて、でも、いつまで経っても来ない。自分の車に荷物を積んで、じゃあ頑張ってくるわと実家に別れを告げたときも、これでいいのかなと思っていた。あれだけ迷惑（めいわく）をかけて、お世話になったのに自分から離れていった場所に、また戻るなんて、なんなんだおまえ、と。

そんなことを思いながら車を走らせて、カーラジオをつけた瞬間、ある曲が流れてきた。

終わりなき旅が始まる

奥多摩へ向かう車のなか、流れてきたのは、Mr.Children の『終わりなき旅』（作詞・作曲／桜井和寿（さくらいかずとし））だった。

閉ざされたドアの向こうに　新しい何かが待っていて
きっときっとって　僕を動かしてる
いいことばかりでは無いさ　でも次の扉をノックしたい

奥多摩に戻っていいのかずっと不安だった心に、その歌詞の内容がストレートに入り込んできた。歌詞が自分の心情と一致して、「あ、このタイミングでこの曲が来たってことは、もう1回挑戦しろってことなんだ」。そう、本気で思えた。

気持ちを切り替えて、命がけでやって絶対成功させよう。奥多摩に行ったら、つらい言葉をかけられるかもしれない、それでもやりたい気持ちのほうが強いし、こんな機会を与えてくれた会社、東京・森と市庭を絶対裏切らないようにしよう。たとえ1人になったとしても事業をやり続けよう。そう思って車を走らせた。

そしてまず、アートマンズ時代の出発点にもなった、青梅線・鳩ノ巣駅前のカフェ山鳩を訪ねた。すべては山鳩から始まったから、再出発するなら山鳩に行かないといけない。それに、山鳩の原島俊二さん夫妻は、奥多摩の中での親みたいな存在だったから。

またここから始まるんだ、そんな実感を胸に抱いていた。

新たなチャレンジの場は、林業再生による町の活性化

奥多摩の木材で、東京の森と都市をつなぐ。

そのために設立された東京・森と市庭（いちば）は、奥多摩の森林所有者（山主さん）と、トビムシをはじめとした林業再生・まちづくり・リノベーションなどに関わる複数の会社が共同出資することで、誕生した。

林業の課題は、山主さんが自分の山を手入れしても、手元にお金が残らないということ。だからこそ、社有林の管理から、商品開発、原木の調達、木材の生産加工、商品の販売までを手がける〈林業の6次産業化〉を通じて、衰退（すいたい）した林業を再生する。それが奥多摩という町の活性化にもつながる、そんな地域再生ビジネスのスタートだ。

会社の立ち上げと同時に合流したのはよかったけれど、実際には何をやればいいのかが何も決まっていなかった。

きっとがちがちにスキームが整っていて、あなたはこれをやって、君はこれをやって、こうすれば上手（うま）くいくみたいなものがあると思っていたら、意外とそういうのがなかった。でも最終的には、入ったメンバーで何ができるかが、企業としての分かれ目になる。僕だか

ら開ける市場もあれば、僕でない人だからこそ開ける市場もある。それは、その人の特性とか大事にしているものにもよると思う。

小田原にいた1年間もあっという間だったけど、僕が一番苦手にしていたビジネスの部分、お金のことしか考えなかったのが、逆によかったのかもしれない。自分の得意分野と、不動産屋の営業マンとして身につけたスキルや考え方が組み合わされば、きっと道は開けていくはずだ。

奥多摩の奥に眠っていた財産

奥多摩で、東京・森と市庭という新しい会社を立ち上げますといったときに、奥多摩町がある場所を紹介してくれた。青梅（おうめ）線の奥多摩駅から、西東京バスで約30分揺られた先にある、旧・小河内（おごうち）小学校。トビムシのグループ会社が廃校活用の事業をやっていたことから、２００４年3月に閉校した学校を利用させてもらえるようになった。

新しい名称は、OKUTAMA（オクタマ） Field（フィールド）／奥多摩フィールド。地域の人が定期的に清掃してくれていたおかげで、保存状態も良かった。ちょうど僕が会社に合流したタイミングで、奥

CHECK POINT

奥多摩フィールド

●所在地

〒198-0221
東京都西多摩郡奥多摩町
留浦(とずら)1237

●アクセス

JR青梅線・奥多摩駅より
西東京バスで27分
学校前バス停下車

●営業時間

9〜17時
ウェブサイトより貸出を申込

●定休日

なし

旅のひとこと

秘境の小学校跡地とも言える場所。教室の机や椅子、黒板、そのほかの用具なども、子どもたちが通っていた当時の雰囲気(ふんいき)そのままに残されている。抜群のロケーションのなか、施設内での飲食も可能（ごみはお持ち帰りください）。

多摩町との間で契約が交わされていて、運用開始にあたり貸し出しや応対のマニュアルをつくるところから、僕の仕事は始まった。

奥多摩フィールドはやがて、テレビや映画のロケ地、ドローンの練習場、イベントやワークショップなどのレンタル事業に活用されることになる（2015年6月に行った僕自身の結婚式も、ここの体育館で開いた）。

まちおこし団体 Ogouchi Banban Company（OBC）結成

東京・森と市庭で旧・小河内小学校を借りるという話になって、地元の人たちと交流しながら学校を生かせないかと思ったとき、集まった人のなかに、近い世代の卒業生が何人かいた。

まちおこしをしたいと思っていて、という話を聞いて、じゃあ小学校の一室を提供するからやってみたらどうですか、と提案したら、継続的にイベントや企画を立ち上げていくようになった。そうして2014年5月に結成されたのが Ogouchi Banban Company、通称OBCだ。

2019年夏に開かれた「まちおこしモンスターフェス」フィナーレの様子。子どもも大人も参加して楽しめる場を提供しているのが、OBCの一番の魅力

**Ogouchi Banban Company
ウェブサイト**

奥多摩のオリジナルソングをつくって、子どもたちと歌って踊る出張ライブを開いたり、メンバーが仕事の合間（あいま）を縫ってクラフトビールの原料になるホップづくりに取り組んだり、夏祭りを開催したり。奥多摩町のなかでも最西端にある小河内から町全体を、さらには西多摩全体を盛り上げたいと活動している団体だ。

メンバーの普段の仕事は、鹿の食肉加工、保育士、保険代理店、ビアカフェ店員などさまざま。僕自身もメンバーの1人として関わっている。外から来た人ではなく、地元の若者がまちおこしに挑戦しようと行動している姿は、とてもかっこいい。

地域コーディネーター兼アテンダーとしての出発

小田原では営業マンとして働いていたけれど、実は当初、会社には営業担当として別のメンバーがいた。僕はと言えば、奥多摩を訪ねてくる人を受け入れるための、地域コーディネーター兼アテンダー的な役割を担（にな）うことになる。

奥多摩の人たちに協力してもらって、林業体験や企業研修プログラムをつくり、そ

コーディネーター兼アテンダーとして奥多摩の森を案内する様子

の案内役を自ら担う。とはいえ、僕自身がアートマンズや不動産屋で経験してきたことを踏まえると、会社の事業として成り立たせるのは厳しいんじゃないかと思っていた。

予想していたとおり、体験・研修プログラムはなかなか売上に結びつかず、営業でも成果が上がらない日々が続く。そして営業担当が誰もいなくなったことで、僕が営業をやることになるんだけれど、それはもう少しあとの話だ。

死ぬような寒さに耐えた大雪の夜

東京・森と市庭の最初の事務所は、奥多摩駅から歩いて数十mの距離に設けられていた。四畳半ぐらいの小屋みたいなスペースがあって、メインの母屋(おもや)を変えてしまうとお金もかかるから、僕を含めて3人ぐらいが打ち合わせできる空間があればいいと、DIYでリノベーションして、事務所として使い始めた。

2014年2月、関東地方に記録的な大雪が降ったときのことだ。仕事が終わって、当時住んでいた小河内(おごうち)のほうに行こうとしたら、なんと雪崩(なだれ)が発生して帰れなくなっていた。しょうがないなと、その日は小屋で寝ることに決めて、寝袋で横になると——寒過ぎて眠

東京・森と市庭、最初の事務所の DIY の様子。ここで大雪の日の夜を過ごした

れない。ストーブをつけていても、まるで暖かく感じられない。

どうしてかというと、底冷えがひどくて、床に背中をつけて寝られないから。

これは、横向きになって、少しでも接地面を減らさないとダメだ。仕方なく一晩やり過ごしたけれど、あのまま体温を奪われていたら、命に関わるレベルの寒さだった。

まだ奥多摩駅周辺も町も、シーンとしていた頃の話。いろんな人が移り住んできて何かやろうという雰囲気にも、全然なっていなかった。

経済林は経済の力で立て直す

奥多摩で林業がさかんだった頃、木材を供給する目的としては、足場丸太が中心になっていた。建物を建てるときの足場は、今では単管パイプになっているけど、あれが昔は全部、20年生ぐらいまでの丸太だったのだ。それが需要としてなくなった今、次の市場ができない限り、東京の林業が盛り上がっていかない。

僕は、奥多摩の山に広がっているような人工林というのは〈経済林〉だと思っている。人が建築のために木材を必要として、そのためにスギとヒノキの2種類だけを基本的に選んで植えていたのが人工林のつくり方。それが何に起因するのかと言えば経済で、経済を活性化させるためにできた森だから〈経済林〉。それが衰退してきた今、立て直すためにはやっぱり、経済によって市場をつくっていくしかない。

そうした意味で、足場丸太の産地だった東京の森を、次は何の産地にしていくかが鍵になっていた。

「奥多摩の林業再生は不可能です」

奥多摩の小丹波という町は、青梅線の古里駅が最寄り（奥多摩駅の３つ前）。そこで林業をなんとか再生させようと、青梅街道沿いに木工品の販売店「木の家」を開店した、原島昭和さんという人がいる（山鳩の原島俊二さんとは関係がなく、奥多摩にはもともと原島という姓の家が多い）。息子さんが亡くなられたことで、その夢はついえてしまい、しばらくお店のあった場所が空いていた。

僕はアートマンズ時代に原島さんと知り合って、いろいろと話を聞きに行ったりしていた。東京・森と市庭の立ち上げにあたって改めて挨拶に出向くと、原島さんはどこか自暴自棄のような感じになってしまっていた。そして、こんな言葉が彼の口からこぼれ出した。

「奥多摩の林業再生は不可能です」

もし林業再生をめざすなら、こういうやり方をしないと駄目なんだと、ある雑誌の記事を示してきた。それがたまたまグループ会社の事業を紹介していたもので、そこから原島さんの雰囲気が打ち解けたものになっていった。そうした御縁があって、「木の家」があった場所を、東京・森と市庭の事務所兼、木工房として新たにお借りすることになった。

床に敷くだけで、無垢(むく)の木の空間をつくる〈モリユカ〉

製材所もないところからスタートした会社で、事業として最初に売り出したのは、オフィスの内装を多摩産材で手がけること。都心の人に、奥多摩の森や木を、働く場や日々の暮らしのなかで感じ取ってほしい。そして、山主さんに現物で提供してもらった森を生かして、ここでしかできない間伐(かんばつ)（木の適度な生育のために、森林にある一部の木を切ること）体験プログラムやワークショップを開く。

東京にこれだけ豊かな森があることを、都心の人たちは知らない。東京都の36％を占める森林に、東京の森に愛着をもってほしい。そのための機会を増やしていきたい。

オフィスや部屋の中に、無垢の木の空間を提供する。そのために作り出した商品が〈モリユカ〉だ。間伐されたスギ・ヒノキを材料にして、床に敷くだけで森の豊かさを感じることができる。

既存のタイルカーペットの上に置いても、ドアなどの建具の干渉を受けないように、厚さを9㎜にした〈モリユカ09〉や厚さ12㎜の〈モリユカ12〉として売り出す。また、床をレンタルすることを前提に厚さを20㎜にした〈モリユカ・レンタル〉というサービスも導入した。

誰が東京の木を必要としているのか

僕自身が営業担当になってからも、しばらくの間、モリユカを何枚売れるかをずっと考える日々が続いた。

でもそうなると、新しい床を求める人を、ひたすら探し続けないといけない。無垢の素材は調湿作用（湿度を調節する作用）がある代わりに、汚れがつきやすくて、オフィスにとってはデメリットが多く、購入にまで至らないケースが多い。

それに、木材の提供先とオフィスの改装をしたい顧客＝施主の間に不動産屋や建築屋が入ってしまうと、どこかで話が駄目になってしまう。だから直に、オフィスを変えたいという施主にアプローチしないといけない。

その方向で進めてみても、企業のオフィスにはそこまで木を使う理由がないことが分かってきた。あるとしたら、東京の木を使っているという、ブランディングのためのストー

上の写真：木工ワークショップの現場に、自ら立つ
下の写真：23 区内のオフィスに、モリユカ・レンタルを導入したときの様子

リーづくり。でも、その企業のサービスに直接関わるところじゃないから、バックオフィスにはなるべく費用をかけたくない、という話になる。そんな市場で、もっとこういう商品を買いませんかと提案しても、正直ビジネスとして成り立たない。

さらに、企業を相手にすると納品までにスピード感が求められて、どうしても受注してから納期までに間に合わせられない。とはいえ在庫を抱える余裕もない。

大手住宅メーカーが、日本の国産材を使った家づくりをするブランドを立ち上げる、という話の中で、木材を提供しようという話もあったけれど、うまくいかなかった。

オフィス向けの営業をメインにしながら、じゃあいったい誰が東京の木を必要としているのか、誰を幸せにできるのか。どこに市場があるのか、模索を重ねても事業は軌道に乗らず、まるで光が見えない。職人さんを雇っているわけでもない小さな工房では、作れるものも限られる。材料も仕入れて、外部の職人さんに依頼して、そうなると利益率は本当に低い。

会社が生み出す商品の付加価値が、ほとんどない状態だった。

「社会にいいこと」だけじゃ、ものは売れない

思い返すと、アートマンズの活動は、社会にとっていいことをしたい、町にとって大事なこと、町の活性化をめざしてやってきた事業だった。でも、いろんな事情も重なって、ビジネスとして必要な数字を生み出せないまま終わってしまった。そのあとの不動産屋では、逆にお金のことしか考えないような日々を過ごして、アートマンズと不動産屋で取り組んだことを両方やる覚悟で、僕は東京・森と市庭にやってきた。

営業担当として、はじめの頃は、「これは東京の森の木ですよ、だから皆さん使いましょう」「これを使うことで東京の森が再生されます」というような、啓蒙的な売り方をしていた。でも、それで響くのは1000人に1人か2人。これじゃあ仕事にならない。もっと人間の根源的なニーズにフォーカスするような商品やサービスをつくっていかないと、ビジネスとしての数字は生み出せない。

そう気づいてから営業のときに、例えば間伐のような、森や社会に関係する課題を口にしないようにした。そして調湿作用のようなメリットや素材の説明、やわらかいからケガをしないとか、買う側・使う側の人が最初に考えそうな視点で伝え始めた。

多摩産材の特徴である、木のやわらかさ。オフィスだと、ちょっと傷ついただけで難色を示されたけれど、「傷がつきやすいってことは、やわらかいってことですよね」と僕の中で変換されて、良い意味で捉えられるようになった。

スギは特にやわらかくて、子どもがごつんとぶつけたときにも、ケガをしにくい。本物の木の素材、体にやさしい天然素材だからこその効果だ。そんな考えに至ってから、何をどう伝えればいいのかが、自然と定まっていくようになる。

——ヒノキは、切ってから強度が200年増すといわれています。ヒノキで作られた家具は丁寧(ていねい)にやすりがけしたことで、ケガをしないすべすべな、シルクのように滑(なめ)らかな肌触りになりました。

あと、ヒノキにはリフレッシュ効果が、スギにはリラックス効果があるので、パフォーマンスを発揮したい場所にはヒノキを、少し落ち着きたいという場所にはスギを使うといいです。だから、こちらの場所だったら、この木のほうがいいですね——

木の効能を使って、相手が解決したい問題は何かを考えて、できることを伝えていく。

そして、2015年のあるとき、たまたま縁があって、保育園の遊具や家具、什器（じゅうき）を取り扱わせてもらう機会が訪れたことが、大きな転機になる。

コラム

思考のレベルアップ 2

流される人生に、正面から向かっていく

もしこうだったら、と何度も思ったことがある。

僕がアートマンズを継続させていたときに、東京・森と市庭(いちば)の立ち上げが重なっていたら。もしかしたら、M&Aのような形で、合流していた可能性もある。

「もう1年早く立ち上げのタイミングが来てくれたら、不動産屋の営業マンとしてつらい思いをしなくてよかったのに。なんで今なんだよ、もうちょっと早ければ……」

当時は何度も、そう思った。

でも過ぎてみたら、自分の身に起きた現象は、感情的な部分も含めて必要な「学び」だったのかなと、今だからこそ思える。たぶん不動産屋で働いていなかった

ら、東京・森と市庭に合流しても、いまだに何も達成できていなかった。営業のスキルも思考も意識もなく、ひょっとしたら、本当につぶれてしまっていたかもしれない。

僕は、キャリアデザインとか、戦略的に自分のランクを上げるとか、そういう考えとは真逆の、人生の流れに身を任せるような感じで生きてきた。意思がないわけではなくて、むしろ意思があるからこそ、紆余曲折(うよきょくせつ)になる。自分が何を成し遂げるか、問いを見つけて追い求めているからこそ、必然的に流されていく人生に対して向かっていかないといけないことが、たくさんある。

僕と奥多摩の日常③ 秋

東京の水源である小河内(おごうち)には、水道水源林となる広葉樹の森がある。明治末期の頃にははげ山(草木の育っていない山)になったことで東京の水質に影響が出たため、当時の東京府が水源林として林業経営を開始した。

その結果、現在では秋になると、奥多摩湖を囲む森の木々の葉は一気に色づき始める。僕らは仕事で多摩産材を生かしているからついつい木を使うことばかり考えてしまうけど、森は愛(め)でることにも価値がある。

この季節には奥多摩湖でカヌーをやりたいところだけど、実はこの湖は水源のダムだからという理由で湖面利用ができない。

だから、JR青梅(おうめ)線・白丸(しろまる)駅近くにある白丸湖という小さな湖でSUP(サップ)(サーフボードに立ち、パドルで水面を漕いで進むアクティビティ)やカヌーを楽しんだり、小河内に住んでいた頃は友達を呼んで庭で焚火(たきび)をしながらお酒を飲んだりする会を開いていた。

だけど最近は、この時期はとても忙しい。東京・森と市庭(いちば)は12月決算だから、秋の時期に仕事の納品が集中する。仕事が充実している時期だから遊ぶ余裕がなくなっているけど、紅葉(こうよう)の景色を眺めると心が落ち着く。仕事の現場にいくための朝の通勤の日常は森を愛でながら先を急ぐ。止まるとずっと立ち止まってしまいそうな紅葉を振り払いながら、仕事のことで頭がいっぱい。

でも、そんな状況だけど、変なストレスはない。森を眺めながら心を落ち着かせて仕事に向き合う。僕にとって秋はそんな季節だ。

第4章

東京の森を子どもたちに届けたい

［新しい市庭（いちば）をつくる］

本物の木を使うこと

木の魅力って、なんだろう。

そう考えたとき、木は、年を経ることでよくなっていくものなんじゃないかと思えてきた。経年劣化じゃなくて〈経年良化〉。木でつくられた場所を活用していくことは、木のよさを伝える活動のひとつになる。

旧・小河内小学校を活用した奥多摩フィールドも、内装の仕上げは木造。だから雰囲気がすごくよくて、木造校舎で育っていない小学生が訪れたときに、「懐かしい」と言っていたのが印象に残っている。それは大事なことだと思っていて、そんな言葉が出てきたのは、木の刻んだ時間の価値が分かったからじゃないか。

意識してみると、居心地がいいなあと思える場所には、必ず木が使われている。ヨーロッパが石の文化といわれるのに対して、日本はもともと木の文化といわれるぐらい、人が暮らす環境の中に、木を上手に取り入れてきた。

それは地震が多かったり、高温多湿だったり、環境の変化に対応し得る素材が、木だから。石だと夏場は暑く、冬も冷たくなってしまう。でも木は季節を問わずに、あたたかみを感じられる。それに、湿度変化の多い日本では、調湿（ちょうしつ）作用（湿度を調節する作用）が生きてくる。湿度が低い冬は、梅雨時（つゆどき）や夏の時期に吸っていた水分を吐き出す、自然のエアコンになる。

内装に木を使っている小学校は、インフルエンザの発生率が低くなったという事例もある。湿度が一定に保たれることで、空気感染する可能性が低くなるということだ。それは不思議なことではなくて、自然の作用が利いている証拠。でも、木の表面にウレタンなどを塗ると、そうした効果がほとんどなくなってしまう。それは、木目調のウッドシートを使うのでも同じ。そこに、本物の木の素材を使う意味が出てくる。

保育園・幼稚園という市場に打って出る

子ども向けの公共施設に行くと、本物の木じゃなくても、木に見立てた空間に出会うことが多い。実はみんな、木を使うのがいいと思っていて、でも、市場に出回っている木製の遊具は高価で、コスト面のハードルがあって導入に至らない。

2016年1月、東京・森と市庭の営業部長になった僕は、2つの市場にターゲットを絞った。1つは、これまでどおりのオフィス向けの市場。そしてもう1つは、保育園・幼稚園の市場。本腰を入れて、新しい市場にチャレンジしてみよう。そう決心した。

保育園や幼稚園の園長先生の「本当は木が欲しいけど、高くてねえ……」という声に対して、僕は直接営業に出向くことで、木や森の魅力を伝えに行った。顧客に至るまでにいくつもの会社が関わると、どこかで話が途切れてしまう。そこを飛ばして、自社の森から2時間圏内の距離なら毎日営業に行って、話す。

営業の仕事は、もちろん商品を売ること。でも商品の魅力って、その商品の価値だけじゃない。「この木ってなんの木か知っていますか？」というところから話していって、その木が生えている山の状況とか、その木がどういう理由から植えられたのか、国の政策の部分まで遡って伝える。そうすると、目の前の木製品に対する認識が変わってくる。

僕はたまたま学生時代に奥多摩と関わり始めて、奥多摩の民俗学を学んで、歴史や文化にも関心をもつようになった。だから、そこで得た知識だったり、興味だったり、奥多摩に暮らす人たちと接するなかで触れた〝奥多摩の心〟を、営業に生かせる。「大学生のときに、山の中に住んでいたおじいちゃんに聞いた話なんですけど、実はこんなふうに木を生かしていたんですよ」というふうに。

それを、僕みたいな若造が話すことで、50代ぐらいの園長先生にも、「へえ……」と思ってもらえる。それは、誰でもできることではないと思うけど、僕にとっては、今までやってきたことの点と点が、１本の線としてつながってきたと思える瞬間だった。

「子どものために」というマインド

振り返ってみると僕は、昔から子どものことが好きだった。アートマンズ時代に、福島の子どもたちを奥多摩に招いてキャンプをしたこともそうだし、子どもを大切にしたいという思いが、自分のなかにある。そして、子どもたちと毎日接している園長先生と、僕自身の意識のチャンネルが合った。

僕は、企業人と園長先生に接するときとで、話し方を変えるようにした。園長先生と話しているときのほうが自然体で、それは皆さんが、子どものためにという利他的（りたてき）なマインドをもっているから。「木のある空間を提供することで、本当に子どもを取り巻く環境がよくなるんですか」と問われたら、そこに対しては自信をもって、僕はイエスと言える。

手応えを得た僕は、2017年に入って、保育園・幼稚園向けの営業に、完全にフォーカスすることを決めた。「森とあそび、木とくらす」東京・森と市庭が掲げるコンセプトの方向へ、本格的に舵を切った。

園長先生が、商品開発部長

商品についても、オフィス営業のときはこちらで作ったものを売るプロダクトアウトだったけれど、保育園・幼稚園については、求めているものを全部、先に聞くことにした。マーケットインの発想だ。

何か必要なものがありますか、どんな空間をつくりたいですか。

コミュニケーションを重ねていくなかで聞き出して、「じゃあ、こんなことを木で形にできるの?」と訊ねられるようになっていく。

営業時の僕はまず「できます」と返事をする。会社に帰ってから社内で報告をして、どうすれば実現できるかをみんなで議論する。職人さんを呼んで意見を聞き、持ち寄った意見を園にフィードバックして、確かめる。それは、保育園や幼稚園に合うように編集していった、木を素材にしたオーダーメイドだ。

だからある意味で、園自体を商品開発部門に、園長先生を商品開発部長として捉えたようなもの。現場の意見を吸い上げて、木の特性を知る地域の職人さんに入ってもらい、園の先生たちと一緒にものづくりを始める。そうすれば、当然ニーズに合致したものが出来上がるから、売れる。１つの園で上手（うま）くいけば、ほかの園でもその商品を生かしていける。そうやって保育園・幼稚園の市場を開拓し、少しずつ事業が軌道（きどう）に乗っていった。

木や森と親しむ木育（もくいく）が大きな柱になる

幼稚園・保育園とのつながりが深まっていくなかで、園児や園の先生を対象にした木育が、事業のひとつとして大きな柱になった。

〈木育遠足〉として、僕自身がガイド役になり、子どもたちを社有林、森の中へ案内する。森を歩いたあとは、みんなでヒノキの木に切り口を入れて、ロープで倒す。お昼ごはんを食べたら、ツリーハウスも使いながら自由に遊ぶ。木育は、会社にとっても僕にとっても、大きな意味をもつようになっている。

上の写真：わらべみなみ保育園（東久留米市）に納品したロフト遊具
下の写真：菅生学園初等学校（あきる野市）に納品した大型木製遊具

木育遠足の様子。子どもたちと接するなかでも、新たな発見や刺激がある

　そして、園に納品をするときにも、例えば遊具ならただ収めて終わりじゃなくて、園の中でお披露目会を開いている。遊具を置く部屋で遊ぶ子どもたちを全員集めて、「実はここからずっと遠くに見える山の木を使っているんだよ」という話をする。そうすると子どもたちからは、「えええええ」という反応が返ってくる。伝えていくことがとても大切で、だから必ず最初に話をさせてもらって、楽しく遊んでくださいねと話すようにしている。

　事業の中身が固まったことで、未来に向けて投資をしなきゃいけない、という決断に踏み切ることができた。２０１７年11月に自社の製材所を構え、多摩産材の認証も取り付けられた。職人さんや地域の人たちとチームを組んで、森や木の話をしながら営業する。そうやって、事業を広げていく。『多摩産材を製材している会社が、遊具や家具も直接開発して、販売しています』と会社の紹介のときに言えるようになった。

そして２０１８年、東京・森と市庭をようやく黒字化することができた。

奥多摩に「おみやげ」をつくる

奥多摩を訪れる観光客には、外国人の方も少なくない。秋葉原や渋谷、ディズニーランドなどに足を運ぶ一方で、自然に触れたいというニーズに対して、都心から電車で行ける近隣の観光地として、奥多摩が選択肢のひとつになってきた。

観光客を意識して奥多摩町でも「日本一観光用公衆トイレがきれいな町」をめざすことを示していて、奥多摩総合開発株式会社に所属する観光用公衆トイレの清掃エキスパート集団オピト（奥多摩・ピカピカ・トイレ）が結成され、常にトイレを清潔な状態に保つことを徹底している。

ただ、奥多摩は不思議な場所で、おもてなしという視点から考えると、観光地のようで観光地になりきれていない。多摩川の上流に小河内（おごうち）ダムができてからダム観光で観光客が増えたり、アメリカ軍の横田基地で働くアメリカ人向けに、渓流釣り場を整えて余暇（よか）の時間を提供したりはしている。青梅（おうめ）街道はツーリングコースになっていて、奥多摩湖を経て山梨県まで抜けていくライダーも多い。

でも、そういう人たちに対する魅力的な「おみやげ」は、僕が大学生の頃から、ない。そこでひとつの選択肢になればと、奥多摩の木を生かしたカッティングボードのブランドを、妻と立ち上げた。これは、2015年に奥多摩フィールドで開催した僕たちの結婚式で、引き出物としてプレゼントしたものが発端（ほったん）になっている。そのときは、材料を木工屋さんから譲ってもらい、製作した。

ブランド名は〈waen（ワエン）〉。妻の事業として僕は手伝いをしながら、副業的な位置づけで取り組んでいる。おみやげとして展開していけるように、今では奥多摩駅2階のカフェ「Port（ポート） Okutama（オクタマ）」や、奥多摩湖に面した「奥多摩 水と緑のふれあい館」で、ヒノキのまな板やコースターをはじめ、赤ちゃんでも遊べる積み木を〈cowaen（コワエン）〉として販売している。都心のイベントに出店することもある。

模様や木目が異なるカッティングボードには、自分に合ったものを探す楽しみがある

製材の過程で、端材（不要な切れ端）はどうしても出る。でも、これを板にしたときに、一つひとつの模様が全然違うことに気づく。木目の違いを価値として捉え直せないか、加工次第で形も変わるし、いろんな種類のカッティングボードがあっていい。その中から、自分の気に入った木目のものを買う。同じ木製品ではあるけど、二つとして同じものはない。

初めて出店したイベントでは、なかなか売れなかった。これは駄目かなと思っていたら、最後の最後で1枚買ってくれる人が現れた。そこから何回かイベントに出店して、2日で売上が約30万円に達することもあり、これならいけるかなと思えてきている。

CHECK POINT

ポート オクタマ

Port Okutama

●所在地

〒198-0212

東京都西多摩郡奥多摩町

氷川（ひかわ）210

●アクセス

JR 青梅線・奥多摩駅

改札を出て構内 2 階

● TEL

0428-85-8630

●営業時間

11〜18 時

●定休日

不定休

旅のひとこと

奥多摩駅に到着して改札を抜けたら、すぐにほっと一息つける、くつろぎのカフェ。コーヒーショップや中古アウトドア商品の出張所も隣接して、電車の待ち時間にも、登山後の一休みの場所としても利用できる、新しい駅上拠点。

CHECK POINT

奥多摩 水と緑のふれあい館

●所在地
〒198-0223
東京都西多摩郡奥多摩町原 5
●アクセス
JR 青梅線・奥多摩駅より
西東京バスで 20 分
奥多摩湖バス停下車
● TEL
0428-86-2731
●営業時間
9 時 30 分～17 時（レストランは 10～16 時 30 分。最新情報は東京都水道局ホームページにて要確認）
●定休日
水曜日（祝日の場合は翌日）／年末年始

旅のひとこと

奥多摩の自然を深く知り、体験できる施設。パノラマショップ「ブナの森」には奥多摩の名産品が揃う。レストラン「カタクリの花」では、小河内（おごうち）ダムカレー（限定 20 食）や鹿焼肉定食、きのこカツ重など、奥多摩ならではのメニューが並ぶ。

自分の関わった地域を大事にしたい

なんだかんだ言って、僕にとって不動産屋での営業経験は大きかった。

そして、自分がやる理由が明確でなければ、自分にしかできないものでなければ、結果的に続いていかないことも分かった。

儲かるからといって、何かのビジネスをやろうというのは、違う。僕は奥多摩に戻ってくるタイミングで、木に関わる仕事だったら、やっぱり木でちゃんと稼げるようにならないと、自分の生き方の証明にはならないと考えた。だからその部分を大事にして活動している。

本業である東京・森と市庭、カッティングボードを販売する妻とのブランドwaen。そして、2018年には子どもが生まれたことで、親に子どもの顔を見せるために実家のある小田原との往復が月に1回は入るようになった。

海釣りが大好きな僕にとっては、そんなライフスタイルが必要で、奥多摩も小田原も両方大事なんだと思えるようになってきている。極端なことを言えば、何かあったらまた小田原に拠点を移さないといけないことも、あるかもしれないし。でも、僕にとって奥多摩が大事だということも一生変わらない。

そんなことを考えていたら、トビムシの仕事の関係で、小田原の隣にある南足柄（みなみあしがら）のコンサルチームに加わることになった。東京・森と市庭で、奥多摩で培（つちか）ってきたノウハウが、地元に近い場所で生かせるチャンスが、生まれようとしている。

そんなふうに、自分の関わった地域を大事にする生き方が、これから先の時代には重要になってくるんじゃないかと思っている。ただそれは、アドレスホッパーのように、どこの地域にも属さないというのとは違う。地域に根づかず、自分の都合でしか動かないのではなくて、その地域に関わるからには、その地域に何かを還元してほしい。僕自身、地域との関わり合い方を、今も、新しい形で模索し続けている。

ビジネスとしての数字にはこだわること

2019年、東京・森と市庭に新しく営業担当と製材所のメンバーが加わった。それまでは本当にスタッフが少なかったから、会議も報告してすぐ終わる感じだったけど、今は結構巻きでやっても長引いてしまったりする。でも、やっぱり人がいると活気が出るし、雰囲気が変わることを実感している。

みんな仕事量が増えてきて、大変ではあっても、楽しそうにやっていると思う。僕自身、役割があって、お金をもらえる仕事があることのありがたさを、アートマンズ時代を経験してきたからこそ感じていて、最初は5万円や10万円の仕事を取ってくるのでも大変だった。２０１９年は、前年度に引き続き数千万円の数字を伸ばして、連続で黒字にすることができた。

会社が少しずつ大きくなって、僕の思考も深まってきて、やりたいことを形にしていくための最速の手段は、ビジネスだと思っている。もちろん、金儲けになってしまうと共感は得られない。ただ、どうやって木のことを知ってもらって、伝えられるのかというときの手段は、現段階ではビジネスになると思っている。

だからビジネスとしての数字にはこだわりたいし、そこをこだわらないと結局、会社も大きくならない。ある程度の大きさがないと、社会に対する影響力も出てこない。かといって、M&Aで拡大していきましょうなんていうことも、もちろんできない。

上の写真：東京・森と市庭の本社兼製材所
下の写真：製材所の様子

一歩一歩、数字を大きくして、人を採用して、投資する、その連続。そうしていくなかで、どこかのタイミングで一気に事業が広がる可能性もあると思う。

商品としてのブランド価値を確立する

保育園・幼稚園の市場が確立されて、次のフェーズは「多摩産材と言わずに売る」こと。材のブランディングじゃなくて、「木育遊具メーカー」として商品で売れるようにならないといけない。

多摩産材のブランド価値は、都内では通用するけれど、例えば埼玉県や神奈川県に行くと反応が薄い。その地域の中でしか通用しないものをつくってしまうと、永遠に市場は大きくならない。

だから今後、僕が聞きたいのは、「多摩産材だから買いたい」ということじゃなくて、「この商品が欲しい」ということ。僕らが考えたこういう商品があって、こんな効果がありま す。実はそれは、多摩産材で作られたものなんですけど――というように。今は、その流れを生み出すために試行錯誤している。

もちろん、多摩産材というのは強みではある。奥多摩という場所に根づいた僕自身が関わっていることも、地域の職人さんとのネットワークもそう。でもそのことは、最終的に直接触れて、使いこなす子どもたちにとっては、正直関係ない。

僕はそれでいいと思っていて、目の前の人が「この商品、本当にいいんだけどなんなのかな」と喜んでくれるものを供給したい。まだ全然そこまではリーチできていなくて、一つひとつの案件で勉強しながらブラッシュアップして、少しずつ資産に余裕をもたせて投資を拡大させていく。

そうしていけばいつか、世界の市場で商品を売ることができるようにもなるだろう。でもそれはまだ遠い話だから、まずは足元を見据えて取り組んでいる。

コラム

思考のレベルアップ 3

恩師の教え「小利口になるな」

過去を内省して、自分は何をやりたいんだと考える問いは、大学のときにお世話になって、もう亡くなってしまった関口和男先生と深く関わっていくなかで、醸成されていったものかもしれない。

関口先生は哲学が専門で、僕が入部したサークル〈水と緑フォーラム・HOSEI〉の顧問だった。関口先生は、自分が実践者ではないということを認識されていて、自分は動かないけれど、考え方や思想は伝えることができる、と考えていた人。ゼミのあとの飲み会で、「先生は教授にならなかったら何になりたかったですか」と訊いたら、「俺か？　革命家だ」と答えるような。

物事の捉え方をいろいろな人に植え付けていって、その人の心に火を着ける着火役。僕はまんまとそれに燃やされて、先生の思想が今も内面に生きている。向き合い方に嘘（うそ）をつかない、本当に熱のある人だった。先生とのコミュニケーションは、抜き身の刀。真剣を向き合わせながら「おまえの覚悟は本物なのか」ということを、常に問われていて、思考の真剣勝負のようなもの。だからちょっとでもごまかそうとすると、「カズよ、小利口になるな」と言われる。

知識をちょっとつけて、知ったかぶりをしたり、できたような気になったり、天狗（てんぐ）になりそうなときには、先生が頭の中にぽーんとやってきて、今でも言葉をかけてくれる。召喚獣（しょうかんじゅう）のように、何かのタイミングで言葉だけが浮かんできて、それに対して僕は、ああ、そうですよね、という感じで頷（うなず）く——。

そのときに誰かと出会ったことで、どういうことをしたいか、どういうことになるかということを、予見していたわけじゃない。でも、結果的につながっていくと、この人との出会いがなかったら、こう考えてないな、こういう行動をしないかな、というのは山ほどある。その瞬間はそう思わなくても、あとから意味づけがなされていく。

だから、論理的に考えたらやらないようなことも、強烈な熱に動かされて、やらずにはいられないことを、性格上やってきたと思う。奥多摩に移住して、とにかくここで何かやるんだ、まだ何も決まってないけど、というふうに。

大学の同期には、ベンチャー企業に就職する人も、ましてや卒業してすぐに起業する人も誰もいなくて、「いや、スガ、何やってるんだよ、大丈夫かよ」みたいにみんな感じていたと思う（今も思っているかもしれないけれど）。

でも、感情が思っていることには逆らえなかった。論理的に考えたら普通に就職して、経験を積んでから起業するのがセオリーだと思うし、やり方ももちろんあると思うけど、あのときは熱が消えるほうが怖かった。それは、一度消えると取り戻すほうがずっと大変だから。

今の世の中は、何によって自分が熱を発せられるか分からない人が多いように思う。誰かの熱であったまっていて、自分発信の熱じゃない。誰かの熱であっためられた熱は、すぐにさめてしまう。火種（ひだね）を自分でつけない限り、本当の自分の仕事や、本当の自分の生き方に、つながっていかないんじゃないか。やっぱりそれは、自分を探そうと思って向き合わない限り、一生見つからないものだと思う。誰かの熱に身を寄せて暖まっているのではなくて、自分の火種で大きな炎をつくっていくような生き方をめざしていきたい。

自分探しというと、揶揄（やゆ）するような言葉になってしまうかもしれない。僕も決して好きじゃなかった。でも今は、そういう期間がない人よりも、そこで苦しんで向き合って、自分は今これがやりたくてしょうがないという人のほうが、魅力的だ。紆余曲折（うよきょくせつ）あった人のほうが面白い。

そんな時間を過ごしやすい社会なのかなとも思うし、いろんな生き方が認められる社会になってきたと思う。

僕と奥多摩の日常④ 冬

冬の奥多摩は美しい。空気が澄んでいて、しんとしている。

特に雪が降った日の奥多摩は最高だ。針葉樹のスギ・ヒノキは年中緑色の葉をつけているけど、雪のときだけはお化粧したように真っ白。一晩で別の世界に来たかのような景色に変わる。観光地である奥多摩にとって、冬は閑散期。観光客の姿はほとんどない。住人もあまり外に出ない。でも、このときの奥多摩が一年で最も美しい。暮らしているからこそ楽しめる絶景。

この景色の中で、森の生き物たちはたくましく生きている。天気がいい日はカモシカたちが山奥にないエサを求めて里に降りてくる。どちらかと言えば、里に降りてくるというよりも、人間が森を里にしたのであって、彼らは初めから里の住人。よそ者は僕ら人間だ。

冬は思考もクリアにするから、人と自然との関係を見つめ直すのに最適な季節。それぞれの生態系の網の中に入り込まないように配慮できる良い関係を、動物たちと築いていき

たいものだ。
息子は初めての雪を見て、目を輝かせていた。大人だってワクワクする景色だ。
ちょっと外に出てみようか。

第 5 章

地域に暮らし、生きる

［奥多摩から伝えられること］

つながり移住——縁が縁を呼んで、人と深くつながっていった

奥多摩を訪れ始めたばかりの大学生のとき。何に強く惹かれたのか、最初は今ひとつ分かっていなかった。自然があるという点で言えば、四国や山陰の町にも行った。でも、どうして奥多摩になったのかというと、やっぱり人と深くつながったのが大きかった。

自分だけしか聞いていない言葉とか、自分だけにしか語られていない話とかが、大学4年間通い続けているうちに、たくさん蓄積(ちくせき)していった。それを自分の財産として振り返ってみると、すごく貴重な体験をさせてもらったな、という思いが出てきた。

奥多摩で人と関わっていくなかで、また訪れる理由ができて、誰かに誘われたり相談されたりすることで、また行く理由ができて。そして、結果的に移住することになった。もともとは縁もゆかりもなかった場所なわけだから、今思うと不思議で仕方ない。

そういえば、地域活性化に関心のある人に、「奥多摩以外の地域は考えなかったんですか」と訊(たず)ねられたことがある。

僕の場合は人との関係性がある地域に入っていった。そもそもが、快適な場所を探そう

というものじゃなくて、縁があるところに入っていく、縁基準の〈つながり移住〉みたいな感じだ。大学生のときから奥多摩に関わることで、少しずつ関係性ができていって、自分の地域、自分の場所になっていった。

学生だった自分たちを受け入れてくれた場所

大学4年間で、どれくらいの人に出会ったのか。そう訊かれても、正直数え切れないし、分からない。でも、多くの人に会ったというより、こんな学生に対しても、真剣に話をしてくれる人が多かった。本気で語ってくれる大人が。

普通は、「学生相手だから、まあこれぐらいにしとけばいいや」みたいな感じで話すと思う。大学生が来たから相手をしてやろうか、という感じで。でも、そういうスタンスで話をしていた印象は、なかった。奥多摩の人は、僕たち学生が当時抱(いだ)いていた疑問や意見に耳を傾(かたむ)けて、対応してくれた。

今なら、こう思える。自分たちを受け止めてくれたんだな、って。認められたなんていうものでもないし、こちらからも何かを提供できたわけでもない。それでも、自分の気持ちを伝えられたと感じられる体験が多かった。

奥多摩に住む人の熱量

奥多摩を訪れ始めたばかりの頃に、町の古老(ころう)から「この町は死んでるよ！」と言われた。言われた当時は、深く心に刻んではいなかったけど、じわじわ効いてきたんだろう。その人は本気で、何とかしてほしいと思って言ったんだって。それが心に引っかかって、今に至っている。

そのおじいちゃんは、本気だったんだ。奥多摩が栄えていた時代のことを知ってるし、当時は1万5000人ぐらいだった人口が、今は5000人ぐらいになってしまっている現状を見れば、それは「町が死んでいる」と思うだろう。

僕は、その熱量に引っ張られたのかもしれない。誤解されるかもしれないけれど、自然が豊かというだけじゃ、その場所にいる理由にはならない。なくてはならない存在ではあっても。

奥多摩に人がいる理由って、奥多摩湖があったり、林業があったり、ここにいるからこそのメリットがあるから。でも、縁もゆかりもない僕みたいな人間が、この場所に暮らしている理由って、やっぱり人だと思う。人がいなかったら通り過ぎてしまっていたし、人がいたからこそ、その熱量に触れて、本気の言葉をかけられて、自分の心に残っていった。だから、これからのまちづくりという話になると、本気度合い、熱量をもった人がどれだけいるか、そしてどれだけ活動しやすいかによって、その方向性も変わってくるんだろうなと思っている。

ワクワクしすぎた〈社会的ゼロ歳児〉

熱量をもった人に、出会えるかどうか。

でも、熱量をもった人同士は、つながりやすいというか、波長が合う。だからもし自分の中に何か熱量があるなら、相手も同じ熱量で話してくれるし、逆に熱量がないと、そういう話にもならない。もしかしたら僕の場合も、ただ若い人が来て、ワイワイやって、じゃあな、みたいな感じで終わっていたかもしれない。

僕は、初めて奥多摩へ行ったとき、本当にワクワクしていた。18歳で、訳も分からないなか、奥多摩っていう滅茶苦茶面白そうな地域に来て、町の人と話したりできて。奥多摩ってどんなところなんだろうっていう好奇心が、生まれたての赤ちゃんみたいに湧き出してきて、それこそ〈社会的ゼロ歳児〉みたいな感じで。

そんな感覚で奥多摩に突っ込んでいって、「この町は死んでるよ！」という一言に跳ね返される、そんな体験を僕はしたんだと。

地域が消えれば、日本の価値観も消える

そういう体験が、僕より下の世代は、なかなかできない。そもそも田舎をもたない人が多いから、地域とつながる機会がない。

でも、若い世代が地域に来ないと、当たり前だけど地域が衰退していく。地域が衰退していくと、都心に人が集まって暮らすようになる。そうなると、日本の価値って何になるのかなって思えてしまう。奥多摩がなくなる／なくならないというレベルの話じゃなくて、日本そのものの価値観が、地域や地方がなくなることで消えてしまうんじゃないか。

グローバル化が進んで、グローバル都市の中の東京の位置づけを考え始めると、日本の

価値がみんな分からなくなって、日本人であることも分からなくなる。そうならないためにも、やっぱり地域というものが、全国各地に地域の文化とともに残っていく必要がある。それは、日本の生存戦略としても。

学生時代から今に至るまで、なくなってしまった廃村も見に行ったし、僕自身、限界集落に住んでいたこともある。でも、次の世代にバトンタッチするためには、ある程度の地域を残していかないと、日本人としての民族性そのものがなくなっちゃうんじゃないかという危機感を抱（いだ）いている。

天目指（あまめざす）集落の治助（じすけ）芋。奥多摩は、じゃがいもがおいしい

今、奥多摩から始まっているもの

地域活性化をどうすれば実現できるのか。それは、人の熱量によるものが大きい。その人が大事に思っていることは、それができる環境をつくってこそ、やりきれる状態になる。それは、中途半端に「儲かるから」っていうことだけじゃなくて、シンプルに、やれる場所がきちんと空いていて、そこに自分らしさを表現できる環境があるかどうか。

今、奥多摩には、新しいお店が増えてきている。その背景には、奥多摩という町の最盛期に商売を始めた人たちが、亡くなってしまったり、当時のモデルのままで商売を続けられなくなってしまったりしたことがある。その場所が空いて、借りられるようになったことで、新しい価値観やビジネスマインドをもった人たちが入ってきて、新しい仕事に取り組めるようになった。

奥多摩が限界集落化してきたことで、今の時流に合った人が地域に関われるようになっている。だから、これまでの商売のあり方を無理に延命させようっていうのは、いろんな地域の事例を見てきても苦しいだけなんじゃないか。だったら、すっぱりと区切りをつけて、次にその場所で何かをやりたい人の募集を、各地で始めていけばいい。

お店としてこんな場所が空いてますよ、こんな家が活用できますよ。あとは、困ってることそのものも、隠さずに言ってしまえばいい。飲食店が少ない、泊まる場所が少ない、キャンプ場が少ない。その発信は、住民と観光客それぞれが担（にな）っていけばいい。そうやって発信していると、それを「私がやりたい」という人が必ず入ってくる。

奥多摩に暮らす僕や周りの人がずっと、奥多摩駅前にお店が少ないねって思ってたら、駅2階のPort Okutama（ポートオクタマ）や、駅を出てすぐの場所にビアカフェのVERTERE（バテレ）ができたように。使い道に困っていたり、そうした場所を発信したり伝えようとしたりしていると、それに見合った誰かがちゃんと来てくれる。それは、自分たちで何かを動かしたわけじゃないけれど、そうやって成り立っていくものなんだろうなと。

東京・森と市庭（いちば）で管理している奥多摩フィールドも、今はレンタルスペースとして提供していて、ゆくゆくは一部屋ごとにおもちゃ工房にしたりとか、ものづくりの拠点にしていけたらいいな、と思っている。順番に、一歩ずつ。

CHECK POINT

VERTERE

●所在地

〒 198-0212
東京都西多摩郡奥多摩町
氷川 212

●アクセス

JR 青梅線・奥多摩駅より
徒歩 2 分

● TEL

0428-85-8590

●営業時間

12～20 時（ラストオーダー19 時 30 分）

●定休日

月曜日～金曜日

旅のひとこと

自前の醸造所を構え、奥多摩産のクラフトビールを提供するビアカフェ。掲げるテーマは「誰とどこでどうやって飲むか」。店内だけでなくテラス席も設けて、開放感を満喫しながら飲む美味しいビールは、何よりの癒しになる。

地域で暮らしてみること——ツイッターより早い集落の噂話（うわさばなし）

奥多摩に最初に移住した2010年の頃。それまでは学生という〝お客様〟の立場で訪れていたのが、一歩踏み込んで住人になると、地域の人からも「よく来たね」というようにはならないし、生活者としての立ち振る舞いが求められてきた。

僕が仲間2人と移住したときに、ある噂話が立った。若い男3人が移住してきて、あいつら何か怪しいヤツらなんじゃないか、何か宗教とかやってるんじゃないかと、そんなことが噂になった。

なんでそんな噂が立つんだろうと当時は思ったけど、今考えると、集落の噂ってそんなに気に病むものじゃない。日常会話のなかでネタがなくて、何か面白がって口にするぐらいのもので、重く受け止めなくてもいいし、噂を出している本人も、人と会うときにそういえばみたいな感じで言うぐらいだから、そこまで気にしなくてよかったんだって。

奥多摩の人の言葉で「あにしてんだよお」と言うことがある。とにかく小さな町だから、自分たちのあずかり知らないところで何かが起こっているというのが、気にかかるんだろう。

どういうルートでか分からないけれど、こんなこともあった。あるプロジェクトを始めようとして、いろいろ理由があってやめることになった。ああこれもうまくいかなかったと落ち込んで、とりあえずごはん食べようかと山嶋に行ったら、店の席に座ってる人がもう知っていて、「なんで知ってるんですか?」と訊ねたくなった。

ツイッターなどでネットに上げているわけでもないし、どういう状況でそれを知ったのかっていうのが、リアルタイム過ぎてびっくりさせられた。もちろん、それだけ当時は注目されていて、気にもなられていたんだなとは思うけれど。

地域に異物を受け入れるかどうか

地域には、異物になる存在を受け入れてくれる人もいれば、何かの宗教関係者だと勝手に排除しようとする人もいる。でもそれは、どの地域にとってもきっとそうだと思う。みんながみんな良い顔をして迎え入れてくれるわけでもないし、そうかといって言わせておくだけでも駄目で、違う情報が流れていたら、いやそれはこういうことですよってちゃんと言わないといけない。

だから、移住して地域になじんでいくまで、最初のうちは大変だった。僕たちが若かったからこそ逆に、「みんな地域から離れていっちゃってるのに、なんで来たの？　何かたくらんでる？」みたいな感じで、バックに誰かいるんじゃないかというようなことは、よく言われた。

その一方で、難しいこともある。地域に溶け込もうとは思うものの、溶け込み過ぎてしまうと、自分自身も新しく入ってくる人を受け入れられなくなるから、それも怖い。今の僕は、地域の人たちと、新しく入ってくる人たちとどう関わっていくのかというバランスが、ある程度取れるようになったかなとは思いつつ。

奥多摩という町で、おじいちゃんとかその前の世代の人とかは、文字通りワーク・ライフ・プレイミックスでずっと生きてきて、その生き方がやっぱり楽しそうで、憧(あこが)れを抱(いだ)くような部分が、大学生のときからあった。

自分しか知らない茸(きのこ)の生える場所とか、そういうスポットをもっていることが、すごく幸せなことだと思うし、この場所が好きなんだなってことも伝わってくる。ここではないどこかで自分を見いだそうとするより、その地域を自分の居場所だと思って、仕事と暮らしと遊びを自分なりの速度でつくっていくことがみんなできたら、もっと豊かになれる。

それが、奥多摩に来れば来るほど感じ得るもので、そういう環境だからこそ、僕もたくさんのことを考えることができたんだろうなって、改めて感じている。そんなふうに、ようやく自分の流れができてきたと思えるようになったのは、本当に最近のことだ。

自分のあり方を見つけられる場所へ

都心から発信される情報は、人の欲求を感化する作用が強くて、ネット上でも大きな声になりがちだけど、それに惑わされずに「自分は、どうなんだ?」と内省(ないせい)する時間は、なかなかとれない。

今の僕の生活にはテレビもないし、常にペースを乱されずに、自分のやりたいことをひたすら考えてチャレンジして、失敗したり上手(うま)くいったりするのを積み重ねられてきたからこその安定感は、あると思う。

都心で何が流行(はや)っているのかも、都心の電車に乗ると分かるけれど、そういうものの裏には仕掛けた誰かがいるだけだから、どうでもいい。誰かのマーケティングに乗っかっているだけじゃ、自分の考えたことでもないし、自分の本当の欲求ではないものに乗せられてしまっていくばかり。そういうものをたどりながら消費していくと、結果的に、空虚（くうきょ）になるだけじゃないか。

奥多摩にいるとそういうことがなくて、消費しようにも消費するものがないし、広告も少ないから、東京のなかでも一番を争うぐらいに情報が少ない。まさに坐（ざ）禅（ぜん）をしなくても自分のあり方を見つけられる場所だなと思う。

奥多摩の森の中に、ひっそりと佇むシダ

そういえば日原鍾乳洞も、かつては山岳信仰の拠点だった。修験道に取り組む人たちが暮らしていた町でもあって、そんな流れがあって、僕にとっての奥多摩は修行の場所、自分を磨いていく場所とも言えるのかもしれない。

社会に流されずに、自分を磨きに地域へ入っていって、地域の人たちとコミュニケーションを図っていくと、感覚も研ぎ澄まされていく。そうやって自分自身の本質が見えるようになっていくということは、僕の経験から言えるかもしれない。

旧ひぐらし荘のおばあちゃん

奥多摩駅からバスで約30分の小河内地域に、旧ひぐらし荘と呼ばれる家がある。ここは、当時70歳ぐらいだった酒井まり子さんが、もともと住んでいた土地の隣に新しい家を建てて、古い家を民宿にすると急に言い出して、始まった。今は地域おこし協力隊の拠点として活用されている。

このおばあちゃんとは、僕が小河内のほうに住んでいたときに隣家だったことで知り合った。人が少なくなったから話し相手がいないという自分の課題に対して、自分で解決策をつくってしまった人で、今も変わらず元気で80歳を過ぎているようには見えない。

この方を目にしていると、何かにチャレンジすることに「遅い」っていうのは全くなくて、自分のなかで課題を見つけてできることをやっていけば、自分の望む未来が手に入れられるんだって思えてくる。

僕はまだ30代だから、どう老後を過ごすのかなかなか想像できないけれど、いつまでも冒険心やワクワク感をもちながら生きていくのが大事だって考えたときに、酒井さんのことを思い出すだろう。

風景の中に溶け込んだ、旧ひぐらし荘の外観

新しく入っていく人が、地域を引き継いでほしい

一般的にシルバーっていう言葉があるぐらいだから、おじいちゃんやおばあちゃん世代の人は、もう引退した人というような価値観がある。でも奥多摩の場合はもともと、お年寄りにはお年寄りの役割がちゃんとあって、例えばその人が培ってきた経験を伝承することを尊重している。お祭りの獅子舞の動き方の指示とか、集会のときの締めの挨拶とか。お年寄りの方がその場所にいることの価値が、文化として残っている。

第2章に書いたダウン症の子の話ともつながるけれど、奥多摩には、生まれてから死ぬまで、その人がいる意味が何かしらある。もちろん、狭い集落だから人間関係のトラブルもある。でもあの人がいなくなったら、これが分からなくなるから困るというものがある。

例えば奥多摩の日原川では、昔、川海苔がたくさん捕れた。今も捕れることは捕れるけれど、その場所も分からなくなってきている。川には、海苔がつきやすい石があって、海苔を捕るポイントにもちゃんと名前がついていた。でも、その石を名づけた人が亡くなった時点で、どこにその石があるのかが分からなくなっていってしまう。

それは、歩くグーグルみたいなもので、ネット上にも上がってこない。誰かが切り取っ

て伝えない限り表に出てこないから、地域のお年寄りが引き継いできたんだけど、それも今は難しくなってきている。そうなっていくほど、地域の価値が薄くなっていってしまうんじゃないかと思っている。

だから、これから新しくどこかの地域に入っていく人には、自分のやりたいことを実現するだけの場じゃなくて、地域の民族的なものを引き継ぎながら、その町を発展させていけるようなまちづくりをしていってもらいたい。

人口200人の小河内（おごうち）地域の活気

昭和の中頃に、小河内ダムを建設するために消滅することになった村がある。その旧・小河内村の跡地は、今では奥多摩湖に沈んでいて、そのエリアを小河内地域という。旧・小河内村は、もっと遡（さかのぼ）ると留浦（とずら）・川野・原などの村の集まりで、そうした背景から今でも湖の周辺には、奥多摩町留浦、奥多摩町川野、奥多摩町原といった住所が残っている。

この3つの集落と隣接する峰谷（みねだに）集落とを合わせても、今では住民が200人ぐらいになってしまって、最近になって自治会が統合して小河内自治会になった。

でも、住民の数が少なくても、集落に住んでいる人たちには活気がある。Ogouchi Banban Company（OBC）も、基本はもともとそこに住んでいたメンバーが中心になって運営している。常時いるわけではないけど、お盆の時期とかだけに帰ってくるような人も、同窓会みたいな形で関わって、お祭りを運営したりしている。

OBCも楽しさを大事にしている団体で、子どもたちと関わることを大切にしている。ビジネスベースではない地域活動として、地域にあるものを生かして、地域にいることそのものを楽しんでいる。

地域で生まれ育った人たちも、1回は外に出てみたい、都心をめざしてみたいという希望があると思う。でも、その地域が楽しいと思って訪れて、そうした人たちが移住するようになっていったら、結果的にさらに活気が生ま

OBCが企画したオピトのPV撮影会のワンシーン

れてくるだろう。

それは、単に人がいればいい、人が増えればいいということとは違って、その地域をより楽しめる人がどれぐらい増えていくかが、重要だと思う。

僕が奥多摩に居続ける理由

最近、僕は、町の活性化のために奥多摩で暮らしているわけじゃないんじゃないか、と思えてきた。昔はそう思い込んでいたけれど、何か違うなという気がしてきた。新しい生き方を、奥多摩の資源や、奥多摩という場所そのものを通じて提示できるんじゃないかと考えるようになっている。

全く手つかずで、まだ新しい価値観が生まれていない場所に、環境ごと自分を移してしまって——「仕事／ワーク」「暮らし／ライフ」「遊び／プレイ」をミックスさせて、その中で考えて見つけ出した生き方を追求していきたい。それが結果的に、町の活性化につながっていけばいい。

もちろん、奥多摩に愛着があって、大好きで、そうでなければ居続ける意味がないから、それは大前提。ただ、自分が今、世の中に対して何をやろうとしていて、それにはどんな価値があるのかっていうことを、どうしても考えたくなってしまう。

僕も大学生のときに、すでに耕され始めている地域に興味が湧いたこともあった。そこで、アミタのインターン中に受けた「未来を創る地域デザインプロジェクト」というプロジェクト研修を主催した、しごと総合研究所の山田夏子(やまだなつこ)さんにアドバイスされた。「確かにそこへ行くこともライダー(当時の研修中の僕の愛称)のためになるかもしれないけれど、いつかは自分の地域を見つけないといけないと思うよ」と。卒業前に奥多摩へ移住しようと決めたのも、その言葉が大きかった。

アドレスホッパーや多拠点居住という生き方も、そういうやり方をしたい人はたくさん出てくるだろうし、すごく楽しいとも思う。その一方で、ひとつの地域を深めていかない限り、その地域に本当の意味で貢献することはできない。

地域の文化をつくるためには、お祭りのときだけやって来て、ちょっと踊ればいい、というものじゃない。本当に地域に入っていくっていうのは、消防団に入ったり、自治会の活動で掃除をしたりということまでやって、地域の住人になる。だから、人間的な成長という意味でも、きちんと地域に深く関わっていく生き方を広めていきたいと思う。

地域活性化という呪縛（じゅばく）からのアップデート

アートマンズの事業に取り組んでいた頃、僕は奥多摩から出ていったら終わりだ、退路を断（た）ってなんとかここでビジネスを成り立たせようと思っていた。でも、気持ちも身体も駄目になって、お世話になった人たちに謝って、お礼を言って、この町にはもう二度と戻れないと思いながら、出ていった。

そして、たった1年で奥多摩に戻ることになったとき、僕の中の価値観がアップデートされたんだと思う。こうしなきゃいけないとか、こうあるべきだとかは関係なく、とにかく僕はもう1回奥多摩でチャレンジしたい。逆に、何かしらの理由でまた出て行かざるを得なくなったとしても、あり得る話なんだからと、自分自身に呪いをかけなくなった。

たぶん、奥多摩に移住した最初の頃、僕は地域活性化をやり続ける人間じゃなきゃいけないんだと、自分自身を〈地域活性化呪縛〉にとどめてしまっていた。

その呪いは世の中に蔓延していて、1回何かで失敗したら、もう終わりと考えるのも、ある種の呪いだ。本当はもっと自由に生きていいはずなのに、慣習とかしきたりに自分を閉じ込めていないか。だから今は、地域活性化をしたいと思っていた頃とは、心持ちが全然違う。

肩肘張りながら移住してきたところもあったのが、今はそのあたりがもっとラフになった。もっと自分が大事にしたいなと思うものがあって、それを大事にできるようになってきたのかもしれない。だから今後、何かの理由で奥多摩を離れることになったとしても、そういう自分を責めることはないと思う。

コラム

思考のレベルアップ 4

学べる、成長できる、必要とされる人と、地域がつながるために

地域の中から、どんなふうに新しい世代が生まれてくるのか。

例えば奥多摩中学校は、生徒1人ひとりにiPadを配付している。情報収集やプレゼンテーション、宿題もそれで提出したりしている。あとは、オーストラリアの学校との交換留学もプログラムとして組まれている。

そうやってネット上でいろいろな情報とつながって、グローバルな景色も目にして、ほかの地域がどうなっているのかも分かるようになったうえで、社会に出たときに「奥多摩って、いいとこじゃん」って思う人が増えていくかもしれない。

今はもう、都心に住まなくてもいろんな人とつながれるし、いい仕事があれば、地域で暮らしたいっていう人も出てくる。そう考えると、これから先に生き残る

地域って、人を育てられるかが、人を育てる意志があるかが、一番重要だと思えてくる。

地域活性化とか地方創生と言って、地域を盛り上げて人を入れようみたいな文脈だと、結局パイの奪い合いになってしまう。移住したい人もまだ一部しかいなくて、じゃあどう盛り上げていこうかってときに、いい人材がどの地域も欲しいけれど、特定の地域じゃなきゃいけない理由って、そんなにない。

地域にどう人を入れていくかという話ばかりじゃなくて、自分たちの地域だったらこういう成長ができる、こんな学びがあるということを、きちんと打ち出していく。そうすることで、学びたい人が評価して、移住してきて、本当の意味で学びながら活躍できるというような場所が、いい地域なのかなと思う。

だから地域はまるごと大学みたいなもので、大学のキャンパスのようになっていくことが、これからの地域のひとつの方向性なんじゃないか。どんな人を地域として求めているのか、そこに意志が込められるようになると、面白い人が地域に増えていく。

僕と奥多摩の日常⑤ 再び、春へ

妻と取り組んでいるブランド〈waen〉の新しいブランドとして〈cowaen〉を立ち上げて、赤ちゃんや子ども向けに積み木をつくった。

この積み木のなかで、制作途中で上手く焼き印が押せなかったり、ちょっとささくれが多かったりするものを、自分の子どもに与えて、一緒に遊ぶ。

といっても、僕が今積んだものを、子どもが「あーっ」と言って壊すみたいな感じ。そういう遊び方でも、なるべく自然のもの、本物の木に触れさせたいと思っている。

生後10か月が過ぎたタイミングで、渓流にも初めて連れていった。妻からも、刺激の強いものには触れさせちゃいけないと言われてきて、ウイルスとか菌とかに対してはケアしてきたけれど、そろそろ時期が来たと。

足だけばしゃばしゃさせたり、水を眺めたりしながら、のんびりと過ごす。子どもが成長していったときに、ここが遊び場になったらいい。

休みの日は、まずは身近な自然から触れさせていくのが大事かな、と思っている。そして何より一緒に遊ぶこと。一緒にいる時間をちゃんと取っていくと、僕自身も子どもと向き合っていることを実感できるし、この子もたぶんそう感じてくれていると思う。アメリカの作家レイチェル・カーソンが説いた、センス・オブ・ワンダー。自然の未知に思いをはせる心。子どもが何かに気づいたときに、大人はその共感者になることが大切。子どもが「これすごい」と言ったら、「ほんとだねー」と応えるような。関心を拾ってあげること。

だからこそ、外に行くときには花を見せたり、渓流に足を入れたりする。そうするとやっぱり、子どもの反応が違う。「ん？」という顔になる。

本物の自然に触れさせてあげて、五感を通じて今あるもの、身の回りのものから刺激を受けていってほしい。世界はとても美しくて楽しいと伝えたい。

第6章

遊びの未来をつくるために

［豊かさから楽しさへのシフト］

地域の中にいる者として伝えられる価値観

僕は、奥多摩の森と木に関わる立場から、子どもたちを対象に、木育(もくいく)を広げようとしている。企業としてセールスの面から、商品を売るために木育という言葉を使っているところもあるし、そもそも使わなければ話がおかしくなってしまう。

でも、そのさらに先には、木育を通してどう生きていってほしいとか、自然ともっと深くつながってほしいとか、持続可能な社会を築いていってほしいとか、そうしたメッセージがある。

僕自身、都心でバリバリとビジネスをやるんじゃなく、奥多摩という地域の中で、少し違った角度から人生を歩んできた。そうした経験から、奥多摩ではこんなふうに人と人がつながって、地域と人と自然が調和した環境ができていて、それはどうやってできているのかを、地域の中にいる視点から伝えられると思っている。何を大事にしていった結果として、こんな場所が生まれたのかということも、伝えられる。

それが例えば、田舎(いなか)の山奥で仙人のような生活を実践するということじゃなくて、都心とのつながりも保ちながら、バランスを取って、世の中の価値観のスタンダードになっていくためにはどうしたらいいのかを、自分自身ずっと考え続けているんだと思う。

奥多摩に閉じこもりたいわけじゃない

誤解を恐れずに言えば、僕は、奥多摩に閉じこもりたいわけじゃない。奥多摩をユートピアにしたいわけじゃない。

1つの地域だけが良くなったら幸せ、ということじゃなくて、社会全体が変わっていかないといけないんだということを、奥多摩での活動やビジネスを通じて、蓄（たくわ）えている感じがする。蓄えているものを、本という形に収めて、伝えたい。ワーク・ライフ・プレイミックスという視点も、社会に対するメッセージを打ち出したいという思いから出てきたものだ。仕事と暮らしと遊びをミックスさせた生き方を実現する、でも1つの場所だけですべてを完結させてもいけない。

奥多摩があってこその自分で、そういう環境に身を置いたからこそ、見えてきた視点ではある。その一方で、外部とのつながりもきちんと保たないといけない。

僕は、どういう生き方とか価値観を大事にしていかなきゃいけないのかっていうことを、奥多摩というフィールドでずっと学ばせてもらっているのかもしれない。

保育園・幼稚園の子どもたちのために、奥多摩の木を使って、東京の多摩産材を使って、遊具や家具・什器(じゅうき)をつくることを通じて、人としてのあり方とか、どう育ってほしいのかを伝える。

それが天職だと思ったときに、法政大学の人間環境学部に入った経緯や、自分が子どものときに森に入って遊んで大好きになったことが、今の子どもたちにつながる価値観を伝えていくための助走だったんだろうと、実感できるようになった。

どうして木育(もくいく)なのかということ

木育ってなんですかと訊かれたら、こんなふうに伝えている。「人の心に森をはぐくむ活動で、小さい頃から本物の木を使うことで、子どもたちと自然とのつながりをつくること」というように。

自然と深くつながることを通して、大事なことを学んでもらいたい。それを、これまでの教育の中では、しっかりとやってこなかった。それが今の林業の問題を生む遠因になっているとも考えている。

ちょっとだけ大きな視点から、日本という国のあり方を含めた視点から、考えてみたい。歴史を遡（さかのぼ）れば、戦後の焼け野原の状態から復興するために、森の材をどんどん使って、使っていけば今度は丸太が足りなくなるから、50年後・60年後のために木を植えるという流れがあった。その木をさあ使おうかとなったときに、外国産の材もどんどん入っているし、そっちのほうが反ったり曲がったりしなくていい、という声が高まっていった。

古いものを直して使う価値観が大前提だった頃から、高度経済成長の流れを受けて、どんどん新しいものに変えていこう、古くなったものは捨てていこう、という価値観に変わっていって——。

明治維新のときから戦前までは、富国強兵の〝強い国〟をめざし、それに失敗した戦後は、物質的に〝豊かな国〟をめざすように変わり。そうして２００８年にリーマンショックが起きて、僕自身もその余波を実感しながら、社会のなかで物質的な価値観が揺らぎ始めた。そして今度は、世界的なウイルスの拡大が、社会を根底から打ち崩そうとしている。

だからこそ、「本当の豊かさ」を探すためにアートマンズを立ち上げて事業を興してきたわけだけど、今になってそれは問いが間違っていたのかなと思うようになった。豊かさを求める時代じゃなくなっているのに、「本当の」という本質を見いだす視点を定めても、そこにはすでにない。必死になって本当の豊かさを探そうとした時期を経て、その過程で自分自身がないがしろにしてきた価値観をもう一度掘り起こそうと思った。

それが〝遊び〟だ。僕の場合は釣り。5歳ぐらいから祖父と一緒に釣りをしていたけど、面白いことに中学生以降から20代後半まで釣りをほとんどやらなくなっていた。理由は、釣りという遊び以上に勉強や仕事などやらなければならないことがたくさんあったから。遊びよりも将来のためにやるべきことに集中した結果、自分のことも分からなくなり、必死にチャレンジしていることも上手(うま)くいかないことが多かった。

そこで、次の時代は豊かさよりも、〝楽しさ〟をどうつくっていくかを考えていかなきゃいけない時代なんじゃないかと、思えるようになってきた。仕事も暮らしも、大人が当たり前に大切にしなくちゃいけない価値観ではあるんだけど、それだけを必死にやっても行き詰まることがよく分かった。だからこそ僕は20代後半からもう一度釣りをやり直し始めた。今では奥多摩のヤマメから小田原沖のマグロ釣りまで、ルアーで狙うさまざまな釣りが、僕にとっての最高に楽しい遊びだ。

その楽しさは、子どものときの遊びを大事にするところから始まっていくんだと思う。木育を通して、ワクワクドキドキすること。遊び心を大事にしていかないと、大人になったときにそれを忘れてしまって、より欲求の強いもの——お金とかに流れていってしまう。

だから子どもの時点から、改めて、楽しさってなんだっけ、楽しくあるってどういうことだっけということを、もう一回やり直さなきゃいけない。その手段として森と木を生かしたいと考えたときに、日本はそもそも木の文化だ、という出発点に思い至った。

出勤前の釣りの成果。ヤマメとイワナがたくさん捕れた

木の文化からたどり、木の出口をつくる

木の文化からたどるという流れは、間違っていないと思っている。まず何かの活動があって、ビジネスがあって、それを発展させていくと産業になって、産業の先に文化がある。文化からたどって触れ直していくことで、もう一度大切にしたいと思う価値観だったり、壊れたものを直して使うという価値観だったり、ある程度のものなら自分で直せるDIY能力だったりが、遊びを通じて捉え直される。

国土の約7割が森林のこの国には、やっぱり森とともにある生き方が合っているんじゃないかと思う。森や木との関係性を結び直すことが大切で、それをやれるのが木育なんだけど、まっすぐ大人に言ってもピンと来ないし、子どもに直接言うだけでもやっぱり変えられない。だから遊びを通じて、体得していってもらえるようにしていきたい。

東京の林業も、足場丸太が単管パイプに変わって需要がなくなってから、新しい木の売り方や、新しい産業や木の出口をつくらなきゃいけなかったのに、つくってこなかった。そうして森と都市とがつながらなくなって、材を流したり市場に卸したりするところで関係

性が終わってしまっていた。結果的に、市場にも木が届かなくなってしまっている。

木は、持続可能な資源だというところがポイントで、納品して終わりじゃない。一緒にメンテナンスをして塗装しようと、子どもたちを交えた塗り直しのイベントを考えたり、丸太を切って、どれくらい木が堅いのかを感じてもらったり。そういうことを積み重ねていくことが、今は求められている。

食べるよりも遊びたい

農林水産業について考えるとき、ずっと思っていることがある。

農業、水産業、畜産業などは、食べられる素材を生み出している。おいしいものを食べたいというのは、全世界の人間にとって普遍的な価値観だ。おいしかったら、買って食べたくなる。

一方で、木は食べられない。秋田スギとか、木曽(きそ)ヒノキとか、ブランディングされているものは良い素材だと理解できる、だけど一般の人から見れば違いが分からない。差別化しづらい素材で、一次産業の中では圧倒的に林業が不利な産業だと思う。

でも、と考えた。子どもにとっての遊びは、もしかしたら食べることよりも優先されるのかもと。僕が子どもの頃も、食べるよりも遊びたかった記憶があって、ワクワクドキドキした心を遊びで早く満たしてあげたいという感覚で、常に走り回っていた。そこでひょっとして、子どもも大人も、遊ぶことを忘れていないか、と気づいた。

遊びを前面に出しながら、木を使う、木を生かす仕組みを設けたら、そこには何かものすごいエネルギーがたまっているんじゃないか。

食で楽しさを表現することは、例えばインスタ映えのような形で広まったけど、まだ木ではそれをやれていない。遊具もつくれる、暮らすための家もつくれる、森でも遊べる。木そのものの素材でも遊びを生み出せるし、全く未開拓な場所がそこにはあった。

遊具の販売でお世話になっている、OBC の一員で保育士の島崎勘さん（中央）と、チャイルド社の富永さん（左）

楽しさの象徴としての森をめざして

奥多摩の森や木も、豊かさをめざした結果として生まれて、昔の価値観のままの人工林が広がっている。木を刈って家を建てる、建築のための足場丸太にする、そんな豊かさの象徴だった森を、楽しさの象徴に変えられたら。木の実がなる木があって、紅葉のときには色づいて、丸太でつくられたログハウスがたくさんあるような、そういう森になっていってくれたら。

楽しさの象徴としての森は、まだ誰もつくっていないから、僕らがそれを「こうじゃない？」と提案するのをスタート地点として、中山間地域が変わるきっかけになればいい。そして、奥多摩という手つかずのフィールドが残る場所で、遊ぶことを通じて、その本質に迫ることができるように。誰かのつくったワクワクじゃなくて、自分の中のワクワクや楽しさを広げられる場所を、自信をもって歩んでいけるように。

そういう僕も、奥多摩で活動を始めたときは、豊かであることのほうがメインだった。でもリーマンショックを通過して、信じていたものが不確かになったときに、ワクワクドキドキすることをやったほうがいいと思えるようになった。そして今また、世の中の価値観が変化していく只中（ただなか）にいる。

この本を手に取った人のなかに、もしまだ、自分にとってのワクワクドキドキが見えない人がいたら、奥多摩に来てもらって、この本のCHECK POINTをめぐってもらえれば、RPGのセーブポイントのように、何かを見つけられたり、何かが起きたりするかもしれない。

後付けになるかもしれなくても、僕は感覚的に、やっぱり正しいと思った方向に進んできて、でもそれが分かるのはだいたいいつも、あとのことだ。最初から分かって進んでいることはほぼゼロで、なんでこれがいいと思うんだろう、でもワクワクドキドキしちゃってるから、という連続でやってきて、結果的に、あ、だからあのときこれが好きだったんだと気づく。

今は、遊びという言葉をキーワードとして、そこを追求していくと、次の景色が見えてくると思っている。

子どもから遊びを始める

価値観を新しくしていく機運を、子どもからスタートさせていく。よく言われるように子どもは、なんでも遊びに変えられる天才。何かを遊びにするのが、本当に上手い。

あるとき、東京・森と市庭で実施している木育遠足で奥多摩を訪れた園児に、製材所に積んである丸太の説明をしていた。それは、ちょっとだけ他の作業を待っている間の時間つぶしだった。すると、急に1人の子が丸太に登り始めて、あれよあれよと言う間にみんなが登り出した。「これ、皮剥いていいの」と訊かれて、「いいよ」と言ったら、みんなが剥き始める。

みんなで皮を剥くゲームが始まって、綺麗に剥くと4メートルぐらいの皮になる。子どもたちは、一番長く剥けた人がすごいっていうルールを自然とつくって、剥いた皮を僕に渡す。渡された皮がいっぱいになったら、それを見た子が、「僕があっちの皮置き場に運ぶから」と言い出す。その様子を目にした何人かの子が、僕も私もと運ぶ係になる。

僕からしたら、本当に時間合わせの場面だったのが、それも遊びに変えてしまえる。大人だったら、時間余ってんだなとか、何してんだよみたいに感じるところを。5歳ぐらいの子どもたちは遊ぶ時間に変えてしまっていて、本当にすごいと思える。

子どもから遊びを始めるというのは、子どもからじゃないと正直厳しいと思っているから。豊かさを求めていた時代の人たちに、これからは楽しさが一番に来る時代だと言っても、僕自身もすぐには分からなかったから。

でも、子どもを通して大人にそれを伝えることは、比較的すんなりといく。子どもを通して、その親世代に、一緒に遊んでくださいと伝えることは、できる。

人工林から針広混交林へ、本当の意味で楽しい地域へ

奥多摩という地域と森の力を使って、遊びや楽しさをつくる活動を続ける。木育という手段を通して、社会そのものの価値観も楽しさに変えていきたい。だから奥多摩のスギやヒノキ、人工林の木を使って遊具をつくっていって、やがては針葉樹と広葉樹の混じった針広混交林をめざしていきたい。

50年後、60年後の奥多摩に、今のような人工林の景色が必要かといわれたら、たぶんそうじゃない。必要な量の材木は残して、その隙間に入る広葉樹で、森の中で遊べるように

するのが、次の時代の楽しい森の姿だと思う。

その森をつくるためには、地域の中に、木を切り出す人、製材する人、加工する人がいて、さらには観光に携わる人、行き来するための道を整える人がいることで、その地域から良い材が出荷されて、訪れた人にも楽しく遊んでもらえる。だから、遊びからスタートして産業をつくっていくことで、地域も本当の意味で楽しくなっていく。

一方で、中山間地域や森の中に、そこまでの住人はいらない。このフィールドを使って、より自分の人生を遊べるような人が、やってくることが大切。例えば僕の場合は、渓流釣りが大好きで、そのスキルをもっているから渓流を使いこなせる。

でも、そうじゃない人もいる。今はスキルをもっていないけど、地域での生活に憧れて、何かを身につけたいと思っている人もいる。そんな人が住めばいい。住人が少なくても、地域に誇りをもって暮らしていて、同じ属性や興味をもった人たちが来てくれる場所。そうやって地域はつくられていく。新しい価値観をもった人が次の時代をつくるために、地域に移り住んでいく流れがようやくできてきて、僕もその流れで奥多摩に移住してきたんだと思う。

林業のエンタメ化をめざして

僕は、アウトドアのスペシャリストじゃない。でも、こういう環境を使ってどういう世の中をつくっていく必要があるのかを、示すことはできるし、示したい。都心だけで次の世の中をつくろうと思っても、価値観が豊かさにはまってしまっていては、難しい。

木育を通じてやっていることも、奥多摩の森の景色を、次の時代に合った森の景色に変えていくことで、今、この国に住んでいる人たちが生きやすくなると思っているから。

生業（なりわい）としての林業には、もちろんスペシャリストの人はたくさんいるし、代々受け継がれてきたものではあると思う。でもそこに遊

木育遠足で、森の中を駆け上がる子どもたち。なんでも遊びに変えられる天才たちだ

びの要素はまだ足りなくて、木を切って市場に出して終わりというところで留まっていた。

今は、そうじゃない。森と木を使って人を遊ばせることができるか、遊びの環境を整えていけるかが、林業の担い手たちに求められている。

それは、新しい遊びを通した林業、木材産業をもう一度捉え直していくことの挑戦なのかなと思っている。

木と遊びと教育の未来へ

これから先の社会について考えたときに、木育、つまり教育というファクターを通じて成果が出てきたから、もっと木の魅力を、直感的に訴求できるようにしたい。そのためにも遊びが必要だと思っていて、言い方を変えれば、エンタメ性、楽しさに訴えかけるもの。持っただけでワクワクするとか、見ただけで思わず触りたくなるとか。遊んでいるうちに気づいたら、すべて周りが間伐材を使っていた、というような。

間伐材という言葉が先に来ると、急に商品自体が固くなってしまうから、もっと直感的に、楽しいからずっと遊んでいたいとか、これが欲しいとか、根源的な部分で楽しませることが大事だと思う。

当たり前なんだけど、みんな本当は、遊びたいと思っている。だけど、大人になっていくにつれて遊びが少なくなっていく。だからまずは、保育園・幼稚園の子どもたちのなかで遊びをもっと膨らませられるような、奥多摩の森と木を生かした商品をつくる。

保育園・幼稚園の市場がある程度成熟したら、小学校・中学校・高校・大学、そうしたフェーズで進めていきたい。すべてが事業になるとは思わない、それでも大学生ぐらいまでのスパンで、商品を提供できるようになれば――。

木と遊びと、教育の未来に向かって。林業もそうしていかない限り、伝わらない産業だと思う。そのために、エンタメ性と教育性が重要になってくる。

奥多摩から人を送り出す

今、僕は奥多摩で仕事をして、地域の活動にも関わって、そのなかで子育てをしている。子どもの未来を考えたとき、子どもには、ずっと奥多摩にいてほしいとは思っていない。今はもちろん親子として一緒にいられることが大事なことだと、しっかり伝えてあげる。そこから先はこの子の人生だから、世界に出ていってほしいし、必要となる能力を身につけて、次の時代をつくれるような人になってほしい。

僕は、この小さい町に、いかに子どもを残すかじゃなくて、どんな人をこの地から送り出せるかを考えている。それはみんなが思っていることとは逆の発想かもしれないけれど、誰かに来てもらうことを考えるより、この地域でどう教育をして、もっと広い世の中を変えていけるかという視点をもったほうがいい。

だからきっと今、地域には、ヒーローを見つける、ヒーローをつくることよりも、ヒーローがいなくても幸せになれる手段が求められている。

どの地域にも課題は山積みだけど、その地域なりのよさがあって、地域を好きになってくれる人は必ずいる。その人たちを大事にして、ファンになってもらう。その一方で人を、そして地域の材を外に出していって、やっぱりファンをつくっていく。

そういう考えのまちづくりを、日本中でやっていくべきだと思っていて、奥多摩にとってはその答えのひとつが森だと思っている。

おわりに

2019年の終わり頃、東京・森と市庭(いちば)の製材所の仕事が非常に忙しくなり、製材士のアシスタントを募集した。

すると、僕より前に奥多摩へ移住して注文家具工房を営んでいる佐藤健一(さとうけんいち)さん（ケンさん）から電話が来た。

ケンさんには大学生の頃からお世話になっていて、アートマンズを休眠させて小田原の実家に戻る話をするために伺(うかが)ったときにも「菅原君、またいつでも戻っておいで」と言っていただいた。そして本当に1年で戻ってきたときに訪ねた際には「すごいね！　本当によかったね！」と喜んでいただいた恩人であり奥多摩移住者の先輩だ。

なんの電話だろう？　と疑問に思いながら電話に出ると「製材士のアシスタントの募集見たよ。これは俺の仕事だと思った」と。「えぇ!?　家具の仕事はどうしたんですか？」と訊くと、「猟師をやってみたいと思ったんだよね。それで実際に始めてみるとこれが本当に楽しい。でも猟師の仕事は週に3日程度しかないから、それ以外の時間は家具の仕事をしたいんだけど、自分の性格上両方をうまくバランス取るのが難しい。だから週の残りの3日程度を東京・森と市庭で働かせてもらって木工の仕事がしたいんだ」と語ってくれた。

そんなケンさんには「猟師・木工家」という肩書を添えさせていただいた。東京・森と市庭では狩猟事業はやっていないけど、木工家として良質な家具を作りだしてきたケンさんが「今の天職」と定めた猟師という仕事も、僕らは大切にしていきたいと思ったからだ。

自分の地域をつくっていく過程で、自分にとって心地よい仕事を生み出し、大切な家族を幸せにしながら好きなことを磨いていく。ケンさんのように、自分が楽しいと思えることに「遊び心」を武器にして、未知の世界に一歩踏み込んでみる。思い切り遊びに熱中した結果、仕事を生み出し、暮らしも楽しく変容していく。

自分の地域をつくることで、遊びを大切にすることができる時間と「心のあそび（余白）」が生まれ、職・住・遊が地域の中で混ざり、溶け合う。当たり前に本当の自分で生きていける。

そんなあり方を、僕は奥多摩から広めていきたい。

謝辞

ある日の朝、会社のポストに知らない差出人からの封書が入っていました。オフィスに入って珈琲（コーヒー）を注ぎ、席について封を開けるとそこには「本を書きませんか？」という内容の企画書が。「えっ？」と思いながら問い合わせ先の番号に電話をかけたら、丁寧（ていねい）で静かな語り口の方が応対してくれました。

その後、カフェ山鳩（やまばと）で本の種出版の秋葉さんと初めて打ち合わせをしたのが2019年2月。そこからは平成から令和へ元号が変わり、大きな台風で奥多摩は甚大な被害を受け、コロナ禍で世界の情勢も大きく変わってしまいました。

時代の変わり目と言っていいこのタイミングで自分の本を世に出すことができたのは、これまでお世話になった方々のおかげです。東京の山奥で暮らす僕を見つけてくださった秋葉さん、ありがとうございます。

奥多摩への二回目の移住で、もう一度僕を受け入れてくれるか不安ななか、小田原からドキドキしながら奥多摩に向かい、1人ひとり改めての御挨拶をすると笑顔で気持ちよく受け入れ喜んでくれた奥多摩の方々。本当にありがとうございます。実は二回目に移住してすぐのときに、嬉しくて夜にこっそり1人で泣いていました。

奥多摩で再挑戦する機会をくださったトビムシと東京・森と市庭の皆さん、ありがとうございます。いつも破天荒なアイデアと行動で迷惑をかけてしまっていることがたくさんあると思いますが、一緒に働いてくれて感謝しています。これからも成長して面白い会社にしていきましょうね。

大学生の何も知らない僕に、世の中の見えないものを見つめる思考を宿してくれた天国の関口先生、奥多摩に何回も通って町の未来について語り合った法政大学の友人たち。みんなのおかげで僕は自分らしい生き方を見つけることができました。ありがとね。

大学4年で内定を取ったものの心にもやもやしていた感情があり、電話で相談したらインターンに誘ってくれて、アートマンズを創業するきっかけをくれた当時のアミタの伊藤さん、地域の未来について語り合った「未来を創る地域デザインプロジェクト」のみんな。一緒に奥多摩に移住して事業をつくる冒険をしてくれた奥野君と村下君。途中から参加してくれた川野君や当時関わってくれたみんな。どうもありがとう。

僕を生んでくれて、働きながらここまで育ててくれたお母さん。森の中で遊ぶ楽しさや釣りを教えてくれた天国のおじいちゃんと、学校から帰ったらいつも笑顔で「お帰り」と言ってくれたおばあちゃん。いつも自分を応援して支えてくれる妻と、幸せな時間と感動をくれる子どもたち。これまで関わってくださったすべての人たちに僕は生かされています。ありがとう。

そして最後に、この本を読んでくれたあなたへ。最後まで読んでくれてありがとうございます。この本の中で何か一つでも心に響いたものがあれば嬉しいです。感想をぜひお聞かせください。奥多摩にも遊びに来てくださいね。

２０２０年11月　菅原和利（すがわらかずとし）

［著者紹介］

菅原 和利

すがわら・かずとし

1987年神奈川県横浜市生まれ。小学生の頃に県内の小田原市へ引っ越し、自然と触れ合う暮らしを体験する。法政大学人間環境学部へ進学し、研究活動を通じて奥多摩で環境問題やまちづくりのフィールドワークを行う。IT系ベンチャー企業の内定を辞退し、大学卒業直前に奥多摩へ移住。任意団体アートマンズを立ち上げ、2011年7月に株式会社化。アウトドアウェディング、空き家を活用したシェアヴィレッジなどの事業に取り組む。同社を休眠後、小田原市での不動産会社勤務を経て、2013年10月に「東京・森と市庭」の立ち上げに参画。2016年1月からは同社の営業部長を務め、2018年1月からは親会社のトビムシで木育コーディネーターも兼務。さまざまな地域活動に関わりながら、現在も東京都西多摩郡奥多摩町に在住。

〔写真提供〕

P31：カフェ山鳩、P32・47：奥多摩総合開発株式会社、P35・36・73：大舘洋志、P56：鳩の巣 釜めし、P84：蕎麦太郎カフェ、P91・154：Ogouchi Banban Company、P121：Port Okutama、P122：奥多摩 水と緑のふれあい館、P144：VERTERE

自分の地域をつくる

ワーク・ライフ・プレイ ミックス

2021年1月30日　初版第1刷発行

著　者　菅 原 和 利
発行人　小 林 豊 治
発行所　本の種出版

〒140-0013　東京都品川区南大井3-26-5
カジュールアイディ大森15　3F
電話 03-5753-0195　FAX 03-5753-0190
URL http://www.honnotane.com

◉ブックデザイン：山田信也（ヤマダデザイン室）
◉印刷：モリモト印刷

ISBN 978-4-907582-24-1
Printed in Japan

JASRAC 出 2009553-001

創刊の言葉

2019年、冬。
混沌としたミライを渡っていくための、
本という名のチケットを贈り始めます。

本の種レーベル『ミライのパスポ』

「人の数だけ、思い描いている生き方や、社会のあり方がある」

このレーベルに名を連ねる人たちは、
何かの「先生」ではありません。
ありきたりのサクセスストーリーはなくて、
ただ一心に自分の選んだ道を、迷いながらも進んできた人ばかり。
そして、まだ、人生という長い長い旅程の途中に、佇んでいます。

示したいのは、誰もが気づいているようで気づいていない、
そんな生き方や考え方。
こうでなければならない、こうしなければならない、
という「常識」のフィルターを外して歩き出すと、
思ったよりも世界が広く、大きく見えてくるかもしれません。

その先に待っているのは、なんでもできる／なんでもやっていい、
という自由とも異なる、自分にとっての最適解を探していく、
旅のようなものではないでしょうか。
ただ、主義・主張を訴えるのではなく、
何かしらのコア＝「核」をもつ著者たちが贈る、
今を生きるためのヒントが散りばめられた、
そんなレーベルをめざしていきます。

第１弾

全ては、生きやすさから
オモロイ世界のために。

発達障害とうつ病の当事者であり、
当事者を支える心理士。
２つの立場を生きる１人の人間として、
生きづらさを抱える人々に寄り添い、
まっすぐなメッセージを贈り続ける。

こちら、
発達障害の世界より

生きやすく生きることを求めて

著者 **難波寿和**（なんば ひさかず）

装画 **Tokin**

判型・ページ数
四六判・256 ページ

定価
本体価格 1700 円＋税

ISBN
978-4-907582-20-3

第２弾

それでも、ぼくは、
本屋という場所を残し続けたい。

数々の副業を抱えながら、
東京・赤坂で選書専門書店
「双子のライオン堂」の店主を務める。
そんな青年の“めんどうな”歩みと、
少し先の未来のこと。

めんどくさい本屋
100年先まで続ける道

著者　竹田信弥（たけだしんや）

装画　西島大介（にしじまだいすけ）

判型・ページ数
四六判・244ページ

定価
本体価格 1700円＋税

ISBN
978-4-907582-21-0